Einstein:
o enigma do universo

COLEÇÃO A OBRA-PRIMA DE CADA AUTOR

HUBERTO **ROHDEN**
Einstein:
o enigma do universo

4ª EDIÇÃO

MARTIN CLARET

© *Copyright* desta edição: Editora Martin Claret Ltda., 2005.

DIREÇÃO	Martin Claret
PRODUÇÃO EDITORIAL	Carolina Marani Lima
	Mayara Zucheli
PROJETO GRÁFICO E CAPA	José Duarte T. de Castro
DIAGRAMAÇÃO	Giovana Gatti Leonardo
ILUSTRAÇÃO DE CAPA	Fluidworkshop / Shutterstock
REVISÃO	Patrícia Murari
IMPRESSÃO E ACABAMENTO	Renovagraf

Este livro segue o novo Acordo Ortográfico da Língua Portuguesa.

Dados Internacionais de Catalogação na Publicação (CIP)
(Câmara Brasileira do Livro, SP, Brasil)

Rohden, Huberto, 1893-1981.
  Einstein: o enigma do universo / Huberto Rohden. — 4. ed. —
São Paulo: Martin Claret, 2016. — (Coleção a obra-prima de cada
autor; 175)

ISBN 978-85-7232-161-7

1. Einstein, Albert, 1879-1955 2. Filosofia e ciência I. Título
II. Série.

16-00046   CDD-925

Índices para catálogo sistemático:
1. Ciência e filosofia: Cientistas: Biografia 925

EDITORA MARTIN CLARET LTDA.
Rua Alegrete, 62 – Bairro Sumaré – CEP: 01254-010 – São Paulo, SP
Tel.: (11) 3672-8144
www.martinclaret.com.br
4ª reimpressão – 2022

SUMÁRIO

Advertência do autor — 9
Prefácio do editor para a 8ª edição — 11
Meu encontro com Einstein — 13

EINSTEIN: O ENIGMA DO UNIVERSO

PRIMEIRA PARTE:
A MISTERIOSA PERSONALIDADE DE EINSTEIN

Einstein e a intuição cósmica — 23
Donde vem a nossa certeza? — 31
O mistério do ego-pensante e do cosmo-pensado — 35
Einstein crê mais na realidade do que em facticidades — 39
Einstein o talento-gênio — 43
O que o mundo pensa de Einstein — 47
A realidade simultânea e as facticidades sucessivas — 53
O mistério do silêncio — 57
A cosmo-plenitude invadindo a ego-vacuidade — 61
A visão unitária da realidade — 65
Da monarquia solar de Newton para a Cosmocracia Universal de Einstein — 69
A simpatia de Einstein pela América Latina e seu anseio pela paz — 73
Assim era Einstein — 77
Newton, Einstein, Planck — 81

Nos rastros de Demócrito, Aristóteles,
Heráclito e Arquimedes — 87
Uma nova concepção do Universo:
o átomo metafísico — 91

SEGUNDA PARTE:
PENSAMENTOS DE EINSTEIN CONFRONTADOS
COM O ESPÍRITO DA FILOSOFIA UNIVÉRSICA

Einstein e a Filosofia Univérsica — 99
"Tenho como verdade que o puro
raciocínio pode atingir a realidade
segundo o sonho dos antigos" — 101
Os paradoxos geniais da matemática
e da mística — 107
A matemática de Einstein e
a mística de Gandhi — 111
A identidade essencial entre matemática
e mística — 117
Da realidade do Uno derivam as
facticidades do Verso — 121
"Deus é sutil, mas não é maldoso" — 127
"O princípio creador reside na matemática" — 131
Dedução *a priori* versus indução *a posteriori* — 135
A luz tem peso e se move em linha curva — 137
A realidade de tempo e espaço — 141

TERÇA PARTE:
PARA COMPREENDER A RELATIVIDADE

Explicação necessária para compreender
a relatividade — 147
Einstein no país das maravilhas — 148
Um bonde chamado relatividade — 149
O relógio enlouquecido — 151
As curvas do espaço-tempo — 153
O peso dos objetos não é o mesmo — 154

"Pulsares" — Novos corpos celestes 155
O pesadelo dos goleiros 156
O paradoxo dos gêmeos 157
Estrelas gigantes e buracos negros 160
O Universo está em expansão 163
A relatividade em imagens 165
Huberto Rohden, o homem que
revolucionou a arte de pensar 169

Dados biográficos 175
Relação de obras do prof. Huberto Rohden 179

ADVERTÊNCIA DO AUTOR

A substituição da tradicional palavra latina *crear* pelo neologismo moderno *criar* é aceitável em nível de cultura primária, porque favorece a alfabetização e dispensa esforço mental; mas não é aceitável em nível de cultura superior, porque deturpa o pensamento.

Crear é a manifestação da Essência em forma de existência — *criar* é a transição de uma existência para outra existência.

O Poder Infinito é o *creador* do Universo — um fazendeiro é um *criador* de gado.

Entre os homens, há gênios *creadores*, embora talvez não sejam *criadores*.

A conhecida lei de Lavoisier diz que "na natureza nada se *crea*, nada se aniquila, tudo se transforma"; se grafarmos "nada se *crea*", essa lei está certa, mas se escrevermos "nada se *cria*", ela resulta totalmente falsa.

Por isso, preferimos a verdade e a clareza do pensamento a quaisquer convenções acadêmicas.

PREFÁCIO DO EDITOR PARA A 8ª EDIÇÃO

Este é um dos livros mais lidos do filósofo e educador Huberto Rohden. Uma obra-prima lida e relida por leitores de todos os níveis culturais e sociais. Mais de 50.000 exemplares já foram impressos e a obra continua despertando grande interesse dos leitores brasileiros. Alguns colégios e faculdades de vários Estados do país vêm recomendando a obra aos seus alunos.

Talvez uma das causas que mais contribuíram para esse grande interesse, além da qualidade literária do texto, seja o fato de o biógrafo ter convivido com seu biografado (Rohden falava fluentemente a língua alemã) e ter abordado um dos aspectos mais misteriosos da personalidade de Einstein: a intuição cósmica e os processos heurísticos usados pelo cientista para descobrir as leis fundamentais do Universo.

A abordagem do livro é filosófica e não apenas científica. Rohden — que era filósofo — se preocupou mais em apresentar uma biografia de ideias e em analisar os processos criativos do grande gênio do século XX. Principalmente mostrando o paralelismo que existe entre a "visão do mundo" einsteiniana e a "Filosofia Univérsica", cujos fundamentos foram construídos quando Rohden estava em Princeton, com Einstein.

Há, no livro, também, grande quantidade de textos do próprio cientista — pensamentos, discursos, alocuções sobre filosofia e religião — material grandemente elucidativo, mostrando um Einstein comprometido com a paz mundial e a felicidade do ser humano. Veremos um Einstein humanista.

Como já foi dito, a partir da 4ª edição, o nome do livro sofreu uma pequena modificação: a palavra "Matemática" foi substituída por "Universo", passando o livro a chamar--se definitivamente *Einstein — O Enigma do Universo*, ganhando a obra maior coerência entre título e conteúdo.

Nesta edição, incluímos, na Terceira Parte, o capítulo "Para Compreender a Relatividade" fartamente ilustrado, extraído da revista "O Correio da Unesco", que irá visualmente auxiliar o leitor na compreensão de certos pontos do texto.

Publicamos, ainda, como parte final "O Homem que Revolucionou a Arte de Pensar", entrevista que Rohden concedeu ao jornal O Estado de S. Paulo de 11/3/1979, enfocando Einstein.

O Editor

MEU ENCONTRO COM EINSTEIN

(PRINCETON, 1945 – 1946)

Os anos de 1945 a 1946 passei na Universidade de Princeton, Estados Unidos, aceitando uma bolsa de estudos para "Pesquisas Científicas", oferecida por essa Universidade.

Quase nada sabia eu, até essa data, do maior matemático do século — e talvez de todos os tempos — que lançou as bases para a Era Atômica. Nem mesmo sabia da sua presença em Princeton, pequena cidade derramada no meio de vasto descampado, a uma hora de trem de Nova York. Cerca de um mês após minha chegada a Princeton, passando um dia pela Mercer Street, meu companheiro mostrou-me um sobradinho modesto em pleno bosque e quase totalmente coberto de trepadeiras, dizendo que lá morava Albert Einstein.

Mais tarde, em companhia de outro brasileiro, consegui uma rápida visita a esse homem solitário e taciturno. Cabeleira desgrenhada, barba por fazer, sapatos sem meias, todo envolto em um vasto manto cinzento, com olhar longínquo de esfinge em pleno deserto — lá estava esse homem cujo corpo ainda vivia na terra, mas cuja mente habitava nas mais remotas plagas do cosmo, ou no centro invisível dos átomos.

Conversar com Einstein seria profanar a sua sagrada solidão.

Mais tarde descobri que ele costumava subir, cada manhã, o morro atrás da Universidade, em cujo topo verde se ergue o Institute for Advanced Studies (Instituto para Estudos Avançados), onde Einstein se encontrava com a equipe atômica — Oppenheimer, Fermi, Bohr, von Braun, Meitner, e outros corifeus.

Durante essa subida, através do bosque, era possível a gente se encontrar com Einstein sem ser importuno. Ele subia quase sempre sozinho, mais cosmo-pensado que ego-pensante. Às vezes, emparelhava eu com o silencioso peregrino sem que ele me visse — tão longe divagava sua mente pelo mundo dos átomos ou dos astros.

Esses encontros solitários eram a única oportunidade para expor as minhas ideias, então ainda embrionárias, sobre a misteriosa afinidade entre Matemática, Metafísica e Mística, que mais tarde expus em aulas e livros, com grande estranheza dos de fora.

Já nesse tempo me convenci de que um homem pode atingir os pináculos da mais pura ética sem o recurso de nenhuma religião particular. Einstein era o exemplo vivo de um homem bom e feliz, ele que não professava nenhuma espécie de religião confessional. Era um homem profundamente religioso sem nenhuma religião. Na teologia era Einstein considerado como "ateu" — mas à luz da verdadeira filosofia era ele um grande "místico". Esse estranho paradoxo aconteceu, aliás, a quase todos os grandes gênios religiosos, sem excetuar o próprio Cristo: eram condenados como ateus pelos teólogos dogmáticos, e admirados como místicos pelos filósofos imparciais. É que todo o gênio profundamente religioso sente a sua afinidade com um Poder Supremo; mas, porque não vê nesse Poder uma pessoa, uma entidade individual, as igrejas dualistas o tacham de ateu e irreligioso. Buda, a consciência espiritual da Ásia, nunca falou em Deus, e poderia ser considerado como o rei dos ateus místicos.

Sendo que a Matemática, quando totalmente abstrata, é o contato direto e imediato com a alma da Realidade Universal, para além de todas as Facticidades concretas, é natural que o homem, assim identificado com a Infinita e Absoluta Realidade, não dê importância às coisas individuais e finitas, que governam a vida do homem comum.

Louvores ou vitupérios, sucesso ou insucesso, vivas ou vaias, amores ou ódios, simpatias ou antipatias — nada disto afeta e desequilibra a mente do homem que se harmonizou com a suprema Realidade do Cosmo, com o invisível UNO que permeia todos os VERSOS visíveis do Universo. E o que há de mais paradoxal e maravilhoso é que esse equilíbrio entre os extremos opostos não faz do homem cósmico um homem indiferente e frio, mas o torna sereno e benévolo com todas as creaturas de Deus.

Einstein, o homem místico-cósmico, era um homem amavelmente ético-humano.

Durante o longo estado de coma que pôs termo à vida de uma parenta sua, o exímio matemático tinha tempo para ficar sentado horas inteiras à cabeceira dela, tocando violino ou lendo os diálogos de Platão sobre a imortalidade; e quando alguém o advertiu que a doente estava inconsciente, Einstein respondia que ela ouvia tudo, embora não pudesse reagir visivelmente.

Um dia, a empregada quis pôr ordem na pitoresca desordem da papelada de Einstein sobre a escrivaninha, e encontrou um cheque de mil dólares, já com enorme atraso, marcando a leitura de um livro. Quem sabe se Einstein não jogou alguma dessas cobiçadas preciosidades no cesto de papel velho?...

Tenho na minha pequena biblioteca dois livros de Einstein que não tratam de Matemática nem de átomos. Um deles se intitula *Mein Weltbild*, cuja tradução inglesa diz *The world as I see it* (*O mundo como eu o vejo*). O título do outro é *Aus Meinen Späeten Jahren* (*Dos meus últimos anos*). São coletâneas de discursos e artigos ocasionais sobre Deus, o homem, a sociedade, sobre filosofia, ética, sociologia e política não partidária. Nas minhas aulas sobre Filosofia Univérsica, bem como em diversos livros meus, tenho citado tópicos destes livros.

No presente trabalho resolvi reproduzir textos maiores destes mesmos livros.

Quando, pela primeira vez, substituí o termo grego "cósmico" pela equivalente palavra latina "univérsico", houve grande clamor nas fileiras dos que julgam não poder usar vocábulos não devidamente carimbados pelos dicionários infalíveis. Hoje, porém, muitos já têm a coragem de usar o maravilhoso adjetivo duplo "univérsico" em lugar do termo simples "cósmico", com a grande vantagem de exprimirem com aquele o caráter bipolar do Universo, não indicado pela palavra simples "cósmico".

O que há de notável, quase incompreensível, nas palavras de Einstein, é o fato de ele afirmar categoricamente que qualquer lei cósmica pode ser descoberta pelo "puro raciocínio", como ele chama a intuição cósmica; apela para o princípio dedutivo do *a priori*. Afirma que a intensa concentração mental, a diuturna focalização no UNO do Universo, isto é, na Causa ou Fonte, nos pode revelar todo o mundo do VERSO, dos Efeitos ou Canais. Quando professor da Politécnica de Zurique, na Suíça, causou verdadeiro escândalo entre seus colegas, ao afirmar que o princípio básico de toda a ciência superior era *a priori-dedutivo*, e não *a posteriori-indutivo*. Em nossa linguagem seria: o último estágio do processo cognoscitivo, vai do UNO ao VERSO, e não vice-versa. O homem deve focalizar a Causa (UNO) e daí partir para os Efeitos (VERSO).

Surge a magna pergunta: Como atingir a causa, a não ser pelos efeitos?

Mas Einstein nega que haja um caminho que conduza dos efeitos para a causa, ou no dizer dele, dos fatos, para os valores. Afirma que o mundo do UNO, da Causa, do Valor, da Realidade, é revelado ao homem, quando ele está em condições de receber essa revelação; o homem não pode *causar* esta revelação da Realidade, mas deve e pode *condicioná-la*. "Eu penso 99 vezes, e nada descubro; deixo de pensar e mergulho no silêncio — e eis que a verdade me é revelada."

Na filosofia milenar da Bhagavad Gita se exprime esta verdade do modo seguinte: "Quando o discípulo está pronto, o mestre aparece".

Em nossa Filosofia Univérsica diríamos: Quando o ego está em condições propícias, o Eu se revela. Ou seja: Quando o canal está aberto, as águas da fonte fluem para dentro dele.

Os teólogos diriam: Quando o homem tem fé, Deus lhe dá a graça.

No mesmo sentido disse o Cristo: "As obras que eu faço não sou eu que as faço, mas é o Pai em mim que faz as obras; de mim mesmo nada posso fazer".

Em todos esses casos, a *causa* funciona quando as condições permitem esse funcionamento.

Einstein, é claro, não desce a essas aplicações, mas o princípio fundamental da sua Matemática é o mesmo: estabelecer condições favoráveis para que a causa possa funcionar. As condições são do homem, mas a causa é do cosmo.

Afirma Einstein que a Matemática, quando abstrata, é absolutamente certa; mas, quando concretizada, perde da sua certeza na razão direta da sua concretização. Com outras palavras: A Realidade é 100% certa, ao passo que as Facticidades não acusam 100% de certeza.

Ora, é precisamente este o princípio básico de toda a verdadeira Metafísica e Mística: A certeza que elas dão da Realidade não lhes vem das Facticidades, do mundo concreto dos fatos, dominados por tempo e espaço; mas vem-lhes do mundo da pura Realidade. E, como nenhum fato pode dar certeza, também nenhum fato pode destruir a certeza que o metafísico-místico tem da Realidade.

Certeza, firmeza, segurança, tranquilidade, consciência da Realidade, serenidade, felicidade — tudo isto brota da fonte suprema da própria Realidade, e não pode ser engendrado nem destruído pelas Facticidades.

Victor Frankl, médico-psiquiatra, judeu-alemão, diretor da Policlínica Neurológica da Universidade de Viena, escreveu livros sobre *logoterapia*, e aplicou essa terapia, com grande sucesso, a seus doentes, usando na Medicina o mesmo princípio que Einstein usa na Matemática: o contato consciente com a Realidade central do homem (Uno, Eu), para curar desarmonias no mundo das Facticidades do homem (Verso, Ego).

Joel Goldsmith, em Honolulu, escreveu um livro intitulado *A arte de curar pelo espírito*, em que ele aplica o mesmo princípio *a priori-dedutivo* para curar doentes. Fez diversas vezes viagens ao redor do globo, a convite de doentes, sem jamais recorrer ao processo empírico-analítico da medicação material-mental. Basta focalizar intensamente a fonte do Uno ou Eu, e os canais do Verso ou Ego recebem as águas vivas da saúde.

Em face disto, poderíamos acrescentar aos três MMM da Matemática, Metafísica e Mística, mais o M da Medicina, contanto que por medicina se entenda a cura pela raiz do Uno-Eu, e não apenas a repressão de sintomas da superfície do Verso-Ego, como faz a medicina comum.

Matemáticos, metafísicos, místicos e médicos, nos mais altos pináculos da intuição cósmica, estão convergindo para o mesmo foco único; ou melhor, estão recebendo da mesma Fonte para plenificar os seus canais. Basta entrar em contato direto, imediato e plenisconsciente com a plenitude da Fonte Suprema, o UNO do Universo — e todas as desarmonias dos canais do Verso serão sanadas pelo impacto desse UNO.

Enquanto a mais pura Matemática não se tornar o princípio dominante da Metafísica, da Mística e da Medicina, não pode haver uma melhoria substancial no seio da humanidade.

Há quase dois mil anos, isto mesmo foi enunciado pelo maior e mais univérsico gênio da humanidade: "Conhecereis a Verdade — e a Verdade vos libertará".

EINSTEIN
O ENIGMA DO UNIVERSO

PRIMEIRA PARTE

A MISTERIOSA PERSONALIDADE DE EINSTEIN

Einstein desfrutou de enorme prestígio científico
e popular em todo o mundo.

EINSTEIN E A INTUIÇÃO CÓSMICA

Albert Einstein apareceu no céu do século XX como um cometa, e sua Teoria da Relatividade riscou o firmamento noturno como um meteoro, que explodiu sobre a terra. Há meio século que todo o mundo olha, estupefato, para esses fenômenos, mas ninguém compreendeu nada.

Em 1945/1946, quando eu estava com Einstein na Universidade de Princeton, os professores de alto gabarito diziam que não havia meia dúzia de homens capazes de compreender as teorias dele. Um deles teve a sinceridade de dizer que não havia um só.

Depois disto foram escritos livros sem conta e tratados sobre Einstein e sua teoria, e não conheço um só que dê uma explicação mais ou menos compreensível. A mais recente obra que, no original inglês, tenho sobre a mesa: *Einstein, the Life and the Times* (Einstein, sua vida e sua época), de Ronald W. Clark, escreve 720 páginas sobre esse homem, sua vida e seu tempo, mas não diz nada de cristalino sobre o enigma da relatividade, nem desvenda o mistério do autor.

Tenho diante de mim um livro pequeno de Peter Michelmore: *Albert Einstein, Genie des Jahrhunderts* (Albert Einstein, gênio do século), que trata sobretudo da personalidade humana desse gênio e onde o autor menciona, repetidas vezes, que Einstein não deve ser analisado pelos métodos comuns, mas que deve ser considerado como um fenômeno *sui generis*.

A conhecida revista *Enciclopédica*, outubro de 1969, confirma o que outros já haviam afirmado ou adivinhado:

que Einstein "se aproximava dos antigos mágicos, alquimistas e taumaturgos", em razão de seu pensamento intuitivo, e não meramente analítico.

Lincoln Barnett e Gordon Garbedian também mencionam fatos estranhos da vida dele: Em vésperas de lançar ao papel a célebre fórmula E = mc^2, Einstein desapareceu da Politécnica de Zurique, onde era professor, sem deixar vestígio do seu paradeiro por diversos dias, e reapareceu, faminto, desalinhado, alguns dias depois — e escreveu a fórmula que revolucionou o mundo.

Uma carta escrita a um amigo em 1954, um ano antes da sua morte, e publicada pela revista americana *Time* de 26/1/1969, revela que, em resposta a esse amigo, Einstein afirma que não tinha lembrança alguma de ter feito experiências empírico-analíticas para descobrir a lei da relatividade, mas que isto lhe veio por intuição.

Declara textualmente: "Não existe nenhum caminho lógico para o descobrimento dessas leis elementares; o único caminho é o da intuição" (*There is only the way of intuition*).

Quando professor na Universidade de Berlim, refere sua segunda esposa Elsa, havia dias em que ele se trancava no seu quartinho, nas águas-furtadas do último andar de um edifício de sete andares, e dava ordem à esposa para que não o chamasse para nada, nem para as refeições, recomendando apenas que colocasse uma bandeja de sanduíches diante de sua porta trancada. Assim passava Einstein dias inteiros, na sua prisão voluntária, geralmente de pés no chão, em mangas de camisa, em total solidão, como um iogue em *samadhi*. Certa vez, refere o citado autor Peter Michelmore, quando sua esposa lhe havia comprado uma boa camisa social com lindas abotoaduras, Einstein cortou as mangas pelo cotovelo, a fim de se sentir mais à vontade e não ter o incômodo de abotoar os botões grã-finos.

Ainda no seu tempo de Princeton, Einstein se encerrava, às vezes, no seu gabinete de estudos, na sua casinha de Mercer Street, meio perdida no bosque, e não recebia visita alguma. Diariamente, subia pelo caminho solitário rumo às alturas do morro em cujo cimo se erguia o Institute for Advanced Studies (Instituto para Estudos Avançados); geralmente ia tão absorto que não me percebia quando eu emparelhava casualmente com ele; semelhante concentração é chamada "distração".

Sempre tive a impressão de que o espírito de Einstein vivia em outro mundo, e apenas o seu corpo físico perambulava por este planeta Terra, mantendo ligeiro contato com o nosso ambiente físico e social. Dinheiro e valores materiais eram para ele coisas fictícias; louvores e vitupérios, vivas e vaias, sucessos ou fracassos, tudo isto era farinha do mesmo saco. Depois de mais de um ano de convivência com ele na Universidade de Princeton, convenci-me de que um homem pode chegar ao mais alto grau da ética sem nenhuma "religião" determinada; Einstein não professava nenhuma espécie de religião ou seita, mas era um homem profundamente religioso. O recente livro sobre Einstein, de Ronald W. Clark, frisa repetidas vezes o fato, aparentemente estranho, de que um cientista de seu gabarito falasse tanto em Deus. Para os teólogos, devia Einstein ser um ateu, porque não admitia um Deus pessoal, antropomorfo; mas para nós, os filósofos, era ele um místico, um homem altamente espiritual, que sentia a presença de um Poder Supremo impessoal que rege os destinos do Universo. E esta experiência do Infinito lhe fazia sentir a fraternidade universal de todas as creaturas.

É um erro supor que Einstein tenha descoberto a Teoria da Relatividade por meio de pacientes pesquisas e análises de largos anos. É certo que fez pesquisas, e muitas, mas estas análises por si sós não podem ser consideradas como a *causa intrínseca* das suas descobertas, são apenas as *condições extrínsecas* das mesmas.

Mas... agora é que entramos no terreno tenebroso ou penumbral de que muitos dos leitores nada sabem e nada suspeitam. Por isto, apesar dos pesares, temos de cavar mais fundo e tentar atingir camadas menos conhecidas.

Quem não conhece a diferença entre o *ego-pensante* e o *cosmo-pensado* não poderá compreender Einstein, nem sua obra. Sobretudo entre as raças mais antigas do globo que conhecemos, entre as quais contam hebreus e hindus, aparecem, de vez em quando, indivíduos intensamente *cosmo-conscientes*, em que essa consciência prevalece notavelmente sobre a conhecida consciência personal. O povo fala então de homens inspirados, místicos, magos, profetas, etc. O homem ego-pensante, restrito ao seu minúsculo círculo dos sentidos e da mente, não compreende que a razão pode alargar notavelmente este círculo, abrangendo áreas muito maiores da consciência, que costumamos denominar cosmo-consciência.

Na antiga África, entre hebreus e não hebreus, apareceram homens cosmo-conscientes, como o grande Toth, a quem os gregos chamavam Hermes (o Deus da Sabedoria), três vezes magno (Trismegistos); na África também surgiu o poderoso legislador e condutor de Israel, Moisés; surgiu a luminosa constelação dos grandes neoplatônicos de Alexandria, Philo, Plotino e Orígenes; lá viveram alguns grandes faraós, sobretudo o iniciador do monismo Amenhotep IV, que mudou seu nome para o de Akénaton I; mais tarde os gênios de Agostinho e Tertuliano.

Na Ásia, outro continente de cultura antiga, aparecem homens de cosmo-consciência, hindus e outros, como Buda, Krishna, Ramakrishna, Vivekananda, Rabindranath Tagore, Mahatma Gandhi, Lao-tsé, Ramana Maharishi, Zaratustra, Paulo de Tarso e o próprio Jesus Cristo; todos eles, uns mais, outros menos, ultrapassaram a pequena ego-consciência do homem comum e foram invadidos pela grande cosmo-consciência. E essa cosmo-consciência deixou em muitos um lastro que, embora extraconsciente, de vez em quando torna a brotar na zona do consciente ou do supraconsciente.

Alguns dão a esse poder cósmico o nome de "alma do Universo" (Spinoza); outros, para não o amesquinhar, o deixam em perpétuo anonimato (Buda); outros lhe chamam "Pai" (Jesus); para outros, ainda, ele é simplesmente "Tao", Realidade (Lao-tsé); outros, finalmente, lhe dão o nome de "Lei" (Einstein).

Toda vez que esses homens cosmo-conscientes sentem a invasão dessa fonte infinita nos seus canais finitos, esvaziam os seus veículos humanos e permitem a invasão das forças cósmicas.

Por vezes essas forças superiores dominam totalmente a consciência humana, assim como uma tempestade enfuna o velame de um barco e o arrebata com grande facilidade; por vezes o barqueiro humano, sob o impulso da inspiração cósmica, continua a dominar e dirigir cautelosamente a sua nau, impelido pela força do Além, mas conservando a direção sobre as forças do Aquém.

* * *

Os que conhecem um Einstein totalmente ego-consciente e ego-dirigente nas suas descobertas, não fazem jus ao homem cosmo-consciente.

A sua ascendência hebreia bem lhe facultava um vasto substrato cosmo-consciente, embora inconsciente. A sua vida, em numerosos casos, o põe na linha dos magos, dos místicos e dos iogues, embora não queiramos atribuir ao grande matemático nenhuma conotação sobrenatural que estas palavras parecem insinuar.

Longos períodos de voluntária reclusão e silêncio, acompanhados de consciência unipolarizada, faziam parte integrante do processo pelo qual Einstein arrancava ao Universo os seus segredos. O cientista medíocre nada sabe dessa atitude *cosmo-pensada*, confiando apenas nos seus atos ego-pensantes; perde-se no caos das circunstâncias do

Verso, sem atingir a substância do Uno; conhece o corpo e ignora a alma do Universo.

* * *

O escritor francês André Maurois, no seu livro *Les Illusions* (As Ilusões), página 61, conta o seguinte:

"Um portador do Prêmio Nobel de literatura francesa, Saint-John Perse, me contou que um dia, quando ele estava em Washington, Einstein o chamou a Princeton e pediu que o fosse visitar".

"Tenho uma pergunta a lhe fazer" — disse ele.

Saint-John Perse, naturalmente, foi vê-lo. E eis aqui a pergunta de Einstein: "Como trabalha um poeta? Como lhe vem a ideia de um poema? Como é desenvolvida esta ideia?"

Saint-John Perse lhe descreveu a importância imensa da intuição e do inconsciente. Einstein parecia todo feliz.

"Mas a mesma coisa se dá com o cientista — disse ele. O mecanismo do descobrimento não é lógico e intelectual; é uma iluminação súbita, quase um êxtase. Em seguida, é certo, a inteligência analisa e a experimentação confirma a intuição. Além disso, há uma conexão com a imaginação."

Einstein trabalhou a vida inteira na sua "Teoria do Campo Unificado", que tentava provar a unidade e a identidade de todas as energias, gravitação, eletromagnetismo, luz etc. Mas ele morreu sem ter conseguido demonstrar analiticamente aquilo de que tinha plena certeza intuitiva. Einstein via o Uno do Universo, mas o Universo empírico-analítico não lhe permitia ver através da pluralidade aparente a unidade real do cosmo.

Estava assim confirmado o que o próprio Einstein escrevera: "Do mundo dos fatos não há nenhum caminho que conduza para o mundo dos valores, porque estes vêm de outra região". Os fatos Versos não favoreciam o valor Uno; o caminho do Uno para o Verso era da razão intuitiva, mas o caminho do Verso para o Uno seria da inteligência analítica — e este caminho é inviável.

Com Einstein principiou a fase da "ciência integral"; ele inclui no conceito de "ciência" não somente a análise intelectual mas também a intuição racional. Infelizmente, a nossa linguagem habitual confunde inteligência com razão. Os antigos pensadores gregos chamavam *noûs* à inteligência, e *lógos* à razão, e Einstein segue a mesma distinção.

Quando o homem tem uma intuição racional, tem ele a impressão de ser invadido por uma força *de fora*, quando, na realidade, experimenta uma *evasão* ou erupção *de dentro* do seu próprio centro cósmico, antes inconsciente, e agora consciente. O que os nossos psicólogos costumam chamar o "inconsciente" — é o cosmo-consciente, que é, geralmente, ego-inconsciente. Quando então essa força cosmo-consciente, mas ego-inconsciente, se torna cosmo-consciente no homem, então ele teve a sua intuição. O homem meramente intelectual tem apenas o que poderíamos chamar "ex-tuição", ao passo que o homem racional tem "in-tuição", a visão de dentro, que parece ser uma invasão de fora. Para que a intuição possa funcionar, a ex-tuição tem de ser reduzida ao mínimo, mesmo a zero.

Albert Einstein aos catorze anos de idade.

DONDE VEM A NOSSA CERTEZA?

Lá pelos doze anos, quando estudante de uma Escola Católica de Munique, como único judeu, era Einstein obrigado a ouvir as explicações do professor sobre a origem do mundo e do homem. O professor definia cientificamente o que era Deus.

Em casa, o jovem perguntava ao pai judeu, o que pensava sobre esses problemas fundamentais da humanidade; mas o pai, baseado no mesmo texto da Bíblia ou do Talmud, não sabia dar resposta satisfatória, repetindo mais ou menos as mesmas coisas que, há milênios, deturpam as grandes intuições esotéricas dos iniciados, dentro ou fora do cristianismo e do judaísmo.

Um jovem estudante de medicina, Max Talmey, judeu, frequentava a família Einstein, e o jovem Albert teve longas discussões com ele para aclarar as suas dúvidas — mas nada conseguiu de definitivo, porque o jovem estudante navegava nas mesmas águas da mitologia tradicional.

Certo dia, Einstein caiu doente e foi obrigado a ficar acamado durante algumas semanas. Para distração, alguém o presenteou com uma bússola magnética, com a qual o doente se divertiu magnificamente, dia e noite. Imagine-se! Uma agulha metálica, que aponta invariavelmente para o norte, qualquer movimento que se dê ao invólucro!

Pela primeira vez o jovem Einstein teve uma ideia de Deus não fabricada pelo homem. Adorava o seu pequeno Deus magnético, testemunho autêntico de uma força invisível e infalível do Universo. Quando, mais tarde, leu, na filosofia monista de Spinoza, que "Deus é a alma do

Universo", lembrou-se dessa pequena bússola, onde a agulha magnética simbolizava a alma da Divindade.

A partir desta data, Einstein só procurou Deus na natureza, e não em livros humanos. Deus era a Lei, a voz da natureza, e nada mais.

Entregaram-lhe obras sobre matéria e força, sobre eletricidade, sobre os mistérios do vapor-d'água que move máquinas — e Einstein foi se familiarizando cada vez mais com o Deus da natureza. Livros superficiais, romances e novelas não o interessavam.

Nesse período entrou o jovem em um ambiente de revolta universal contra todas as autoridades. Por que é que a sinagoga, a igreja e o próprio Governo não diziam a verdade sobre Deus, sobre o mundo e sobre o homem? Que intenções secretas tinham as autoridades civis e religiosas para manter o homem nessa ignorância?

O jovem Einstein estava em vésperas de se tornar um anarquista e demolidor declarado.

* * *

Nesse tempo alguém lhe entregou a filosofia de Immanuel Kant sobre a *Crítica da Razão Pura* e a *Crítica da Razão Prática*. Leu, nesse filósofo, que o nosso conhecimento da verdade e a nossa certeza provêm em parte de elementos da razão humana (*a priori*) e em parte das experiências externas (*a posteriori*). Mas, como poderia o homem saber o que vem da sua intuição racional e das suas experiências empíricas? Einstein não se contentava com essa miscelânea da fonte interna (*a priori*) e de canais externos (*a posteriori*). A sua intransigência retilínea queria um "sim" integral e não um compromisso entre 50% de "sim" e de "não". Na matemática e na lógica pura não se conhece a palavra "talvez" nem a expressão "mais ou menos". Na matemática, na qual Einstein sempre viu a única certeza absoluta, só se conhece "sim", e não um "semi-sim" ou um "semi-não".

Felizmente, nesse mesmo tempo lhe caiu nas mãos o livro do grande pensador escocês David Hume, intitulado *Essay on Human Understanding* (Investigações sobre o entendimento humano). Einstein exultou. Hume fazia ver que o homem não tinha nenhuma possibilidade de compreender as verdadeiras causas por detrás dos efeitos. Causas e efeitos são do mundo empírico, *a posteriori*, em cuja atuação o homem não pode confiar; deve dar plena e única confiança à sua intuição interior (*a priori*) para alcançar a verdade e ter plena certeza.

Digamos desde já, antecipadamente, que toda futura atitude de Einstein, que culminou na "teoria da relatividade" e do "campo unificado", teve seu ponto de partida nesses conceitos filosóficos de Kant e de Hume, que convenceram o jovem de que a verdadeira certeza não é o resultado de uma série de processos empírico-analíticos como pensa o comum dos cientistas, mas que provém em última análise, de uma direta e imediata intuição *a priori*, dedutiva, oriunda do puro raciocínio, e não de elementos derivados dos sentidos e da mente. O "puro raciocínio" é a palavra que Einstein usa para intuição cósmica.

Einstein nunca se convenceu de que causas e efeitos, dependentes do tempo e espaço, possam representar a relatividade verdadeira; admite-os apenas como facticidades ilusórias, necessários para subestruturar a certeza que vem de outras regiões, como ele diz. As facticidades factícias (ou fictícias) são condições, mas não são causa de certeza.

Em consequência disto, Einstein defende a ideia de que o verdadeiro cientista, após a subestrutura empírico-analítica, deve iniciar a sua jornada real nas alturas da razão ou, como ele diz, do "puro raciocínio", na intuição, no Uno, e não nos sentidos ou no Verso; e do supremo zênite desse Uno racional deve ele investigar as baixadas do mundo do Verso.

Como chegar a esse Uno, sem passar pelo Verso, disto falaremos em outra ocasião.

Em qualquer hipótese, as palavras de Einstein de que "do mundo dos fatos não há nenhum caminho que conduza para o mundo dos valores", dão pleno testemunho desta sua mentalidade.

As facticidades devem ser analisadas — mas a Realidade nos é revelada. Aquelas são analíticas — esta é intuitiva, ou intuída.

O MISTÉRIO DO EGO-PENSANTE E DO COSMO-PENSADO

Muitos dos que falam e escrevem sobre Einstein e a sua Teoria da Relatividade pensam que o grande matemático atingiu esse resultado pensando intensamente, espremendo os miolos a tal ponto até que, finalmente, atingisse essa certeza.

E sobre essa falsa premissa tentam retraçar o caminho por onde Einstein teria andado.

Nada disto, porém, aconteceu. Inúmeras passagens da sua vida desmentem esse processo.

Há um processo que eu, na minha filosofia cósmica, denominei *ego-pensante*, e outro processo que designei pelo termo *cosmo-pensado*.

No primeiro caso, confia o homem exclusivamente no poder do seu próprio pensamento, da sua egoidade humana, da sua atividade cerebral. O resultado desse processo é diretamente proporcional ao esforço despendido. Mas, como o ego é uma "peça secundária do cosmo", como diz Arnold Toynbee, e representa uma parcela infinitesimal do imenso cosmo, é natural que este resultado da ego-pensação não possa ser grande, que deva ser como um átomo em comparação com o Universo.

Este processo ego-pensante é o único que a maioria da humanidade conhece. Há, certamente, variantes nesse processo; há homens dotados de um poder ego-pensante de 1%, de 10%, de 50% etc.; mas, em qualquer hipótese, a proporção é infinitamente pequena em comparação com o imenso poder cósmico. Um pirilampo pode ter lanternas fosforescentes maiores ou menores — mas, que é isto em face da imensa claridade do sol em pleno meio-dia?

Há, todavia, uns pouquíssimos homens *cosmo-pensados*. Não são eles que com o poder do seu ego pessoal pensam, mas são pensados pelo poder do cosmo, pela alma do Universo, suposto que eles permitam essa cosmo-pensação.

Este processo consiste em uma espécie de alargamento dos canais humanos para que as águas vivas da Fonte Cósmica possam fluir livremente por eles.

Neste caso é o Uno do Universo, a alma invisível do Todo, que entra em ação, ao passo que os canais do Verso funcionam apenas como simples recipientes, veículos e transmissores.

Quando o homem deixa de ser ego-pensante e passa a ser cosmo-pensado (também cosmo-vivido e cosmo-agido), sabe dos mistérios do cosmo mais do que através de 50 anos de ego-pensação.

E quando, depois, os ego-pensantes tentam explicar como o cosmo-pensado chegou a certos resultados, para eles incompreensíveis, perdem o seu tempo em hipóteses e conjecturas inúteis.

Entretanto, por via de regra, o próprio cosmo-pensado gastou longos anos e árduos esforços na penosa peregrinação da sua personalidade ego-pensante.

Einstein afirma de si mesmo: "Eu penso 99 vezes e nada descubro; deixo de pensar — e eis que a verdade me é revelada".

Esses 99 esforços de ego-pensação foram necessários como subestrutura preliminar, mas não foram suficientes para lhe revelar a grande verdade.

Um engenheiro constrói uma vasta rede de encanamento para prover de água uma cidade; mas, se não tiver uma nascente de água permanente — que não faz parte do seu encanamento — nunca terá água na sua rede. A nascente é causa, os encanamentos são apenas condições.

Tudo prova que Einstein, cedo ou tarde, atingiu alto grau de cosmo-pensação. Em Princeton, onde convivi com ele, vivia ele em quase perpétuo silêncio. Na Politécnica de

Zurique, poucos dias antes de lançar ao papel a fórmula da Relatividade, $E=mc^2$, desapareceu da Universidade e da família por diversos dias, sem revelar o seu paradeiro, porque tinha imperiosa necessidade de solidão e silêncio para dar à luz sua prole mental.

Na Universidade de Berlim, como já dissemos, encarcerava-se, não raro, por dias inteiros no seu quartinho paupérrimo nas águas-furtadas, trancava a porta, não aceitava visitas e dava ordem à esposa para lhe colocar uma bandeja com sanduíches e outros alimentos diante da porta do quarto. No seu quarto ficava de pés descalços, em mangas de camisa, abismado horas e horas em total imobilidade, tal qual um iogue hindu em estado de *samadhi*. Nestas horas de intensa cosmo-pensação ou cosmo-atuação, estava Einstein totalmente alheio a todo o mundo externo e intensamente identificado somente com o Uno interno.

Quando os seus colegas de estudo lhe perguntavam como iria provar a sua teoria, respondeu que a prova experimental dependia de uma técnica muito aperfeiçoada, ainda não existente, mas que a certeza não dependia de provas, porque o Universo era um sistema lógico de absoluta precisão. Estas palavras indicavam que Einstein havia intuído o invisível do Uno do Universo, embora não pudesse descrever o Verso da técnica externa.

Uma comparação talvez possa esclarecer esse processo: suponhamos que um genial clarividente enxergue o interior de um coquinho vivo. Não vê raízes, tronco, folhas — nada, neste minúsculo germe branco. Mas suponhamos que esse vidente seja dotado de uma perfeita visão de todas as potencialidades do coquinho, que daí a anos, se manifestará em um possante coqueiro com folhas, flores e frutos plenamente atualizados. Se esse vidente pudesse assim antecipar por 10 a 20 anos a sucessividade de tempo e espaço, na simultaneidade do eterno e do infinito — que fenômeno espantoso seria esse! Esse homem veria na ilusão da sucessividade a verdade da simultaneidade.

É mais ou menos assim que devemos considerar a vidência da unidade do Universo simultâneo que se manifesta sempre de novo em diversidade na sua sucessividade.

Sem admitirmos essa *visão unitária* do Cosmo é inútil querermos compreender a *visão diversitária*, com que quase todos tentam explicar a Teoria da Relatividade.

Sem cosmo-vidência a ego-vidência é um eterno enigma.

Felizmente, essa cosmo-vidência, ou seja, visão unitária do Universo, está se tornando cada vez menos misteriosa e cada vez mais manifesta. Nos últimos tempos a parapsicologia tentou reduzir a termos de ciência racional o que outrora era rejeitado como simples superstição ou crendice popular.

A nossa filosofia cósmica ou univérsica, nascida no coração do Brasil há diversos decênios, está consolidando as bases cosmo-racionais desta visão, partindo da unidade do centro, a fim de explicar as diversidades das periferias.

EINSTEIN CRÊ MAIS NA REALIDADE DO QUE EM FACTICIDADES?

Einstein sempre se impressionou profundamente com a filosofia de Schopenhauer, que atribuía mais realidade à consciência do que aos sentidos. Os sentidos não enunciavam nenhuma verdade ou realidade sobre o mundo exterior: o sol, a terra etc.; testificavam apenas o modo como algo impressionava os nossos sentidos; nada nos diziam da realidade.

Einstein, desde cedo, apelava dos sentidos para a consciência, ou seja, do Verso para o Uno, como diríamos em nossa filosofia.

Nesse tempo havia Wilhelm Roentgen descoberto os raios X, que davam uma visão totalmente diferente do corpo humano. Imagine-se o aspecto grosseiro de dois esqueletos humanos que se beijassem, ou até mantivessem relações sexuais! Que confiança podemos ter em nossos sentidos? Einstein sentiu a nescessidade de desconfiar de tudo que não fosse a pura consciência, que só essa lhe parecia dar certeza.

Para além de toda a ilusão do relativo devia haver a verdade do Absoluto.

Como seria o nosso ambiente social se tivéssemos olhos X? Ernst Mach, professor de filosofia na Universidade de Viena, em uma conversa com Einstein, propôs que desmontássemos toda a nossa ciência tradicional como uma pirâmide até à última pedra, e reconstruíssemos tudo de novo, desde o ponto zero, não aceitando nada que não fosse provado experimentalmente. Einstein meneou a cabeça silenciosamente e não reagiu; mas estava cheio de dúvidas sobre este processo de reconstrução empírico-

-analítica, que ele não considerava mais como último fundamento da certeza. Farejava algo mais certo para além de todas as facticidades empíricas, algo para além dos sentidos e da mente. O homem comum pensa que quanto mais ele aguça o seu esforço mental, tanto mais se aproxima da verdade. Ignora totalmente a distância entre o ego-pensante e o cosmo-pensado.

Para tornar até certo ponto plausível esta diferença entre ego-pensante e cosmo-pensado, sirvamo-nos da seguinte comparação: alguém em São Paulo deseja falar com um seu amigo no Rio de Janeiro. Mas não há nenhuma possibilidade de intensificar a sua voz ao ponto de vencer esses quatrocentos e tantos quilômetros que separam as duas cidades.

Isto corresponderia à expressão ego-pensante. Mas se esse amigo sentasse calmamente diante de um microfone, poderia falar até em voz baixa com seu amigo distante, fosse no Rio, fosse em Nova York, em Los Angeles, em Tóquio ou qualquer outro ponto. Isto corresponderia ao que chamamos cosmo-pensado.

Não é questão de uma continuação no mesmo nível, mas é questão de um novo início, da entrada em uma dimensão diferente, do aéreo para o eletrônico.

De modo análogo, a intensificação de facticidades empírico-analíticas não equivalem a um novo início.

É mais ou menos o que acontece com certos iogues no Oriente, que sabem de coisas que não entraram pelos sentidos e pela mente, mas lhes foram reveladas pela própria realidade. No Cristianismo esse fenômeno se chama revelação, inspiração ou outro nome que tenha, mas fundamentalmente trata-se do mesmo fenômeno: é a invasão da alma do Universo dentro da consciência humana.

Através de todas as descobertas de Einstein prepondera a tendência de uma experiência direta, interna, intuitiva ("visão de dentro"), sobre o testemunho indireto dos sentidos e os ziguezagues das análises mentais.

A matemática, aliás, não é, em sua forma abstrata, uma ciência empírica, mas sim uma sapiência intuitiva. E Einstein afirma que a matemática, quando abstrata, é a única fonte de certeza absoluta, certeza que, porém, diminui na *ciência* empírico-analítica, ao passo que a matemática é a própria *consciência* da realidade imediata — e é precisamente nisto que consiste a sua afinidade com a metafísica e a mística, que representam igualmente o contato indireto com a Realidade do Uno, alma do Universo.

Kant e Schopenhauer foram, até certo ponto, os mestres de Einstein nesse caminho misterioso da intuição da Verdade.

Acima: Einstein e sua irmã Maja.
Abaixo: os dois, alguns anos mais tarde.

EINSTEIN
O TALENTO-GÊNIO

O Einstein que eu conheci era uma síntese feliz entre talento analítico e gênio intuitivo. A sua intuição cósmica baseava-se, porém, em uma larga análise intelectual, como, aliás, indica a sua conhecida expressão: "Eu penso 99 vezes, e nada descubro; deixo de pensar, mergulho em um grande silêncio — e a verdade me é revelada".

Thomas Edison, o grande inventor norte-americano, diz coisa análoga de si mesmo: "Eu necessito de 90% de transpiração para ter 10% de inspiração". Por transpiração (*perspiration*) entende Edison esforço intelectual analítico.

O talento opera na zona do ego-consciente do Aquém — o gênio é invadido pelo cosmo-consciente do Além. Há gênios cosmo-inspirados sem terem necessidade do esforço do talento ego-consciente. Geralmente, porém, a vertical da intuição, ou inspiração, supõe um largo pedestal de análise intelectual.

Quando, como já dissemos, aos 26 anos, na Politécnica de Zurique, Einstein lançou ao papel a fórmula enigmática $E = mc^2$, que modificou toda a física do século, havia ele passado diversos dias em total solidão, que fez culminar nesse ponto intuitivo uma longa gestação mensal.

O talento é ego-pensante.

O gênio é cosmo-pensado.

Os grandes cientistas, os artistas, os poetas, os músicos geniais, bem com os grandes místicos recebem do Além o que foi preludiado no Aquém.

O talento, quando é unilateralmente intelectual, não abre os canais para a invasão da alma do Universo, ao passo que o talento-gênio constrói condutores idôneos para o influxo das águas da Fonte Cósmica.

Por isto, todo o verdadeiro gênio é humilde, não por virtuosidade moral, mas pelo impulso da própria realidade: sabe que não é ele a fonte plena, senão apenas um canal vazio para plenitude cósmica.

Por esta mesma razão, o gênio não se orgulha do que faz; ele sabe que a prole a que deu à luz não corresponde à grandeza da concepção; entre concepção cósmica e parturição telúrica medeia o longo período da gestação mental, que não pode manifestar adequadamente a grandeza da prole concebida.

O gênio sente-se como que envergonhado de ter dado à luz apenas aquilo; está com vontade de pedir desculpas ao público por ter dado à luz apenas aquele pouco. Quem se orgulha e se envaidece da sua prole mental ou espiritual não é um gênio — pode ser apenas um talento.

Entre a longa gestação mental e a parturição da prole há, quase sempre, um hiato, maior ou menor, de silêncio e solidão. O gênio, em estado adiantado de gestação, sente a necessidade de se isolar em solidão e silêncio, esquecendo-se de todas as convenções sociais.

Einstein foi o homem mais silencioso e solitário que eu conheci na minha vida. O maior favor que alguém lhe podia fazer era não falar com ele, sobretudo quando a fala girava em torno de assuntos não relacionados com a sua prole em gestação.

A companhia mais agradável para Einstein era a solidão. E essa solidão era para ele uma maravilhosa companhia cósmica.

E isto fazia de Einstein um homem profundamente "religioso" — mas ele insiste em frisar que por religiosidade ele entende unicamente esse sagrado assombro em face do Infinito, mais adivinhado do que compreendido.

Para certos teólogos era Einstein um ateu. Quando um desses teólogos espalhou pela imprensa que Einstein era ateu, um rabino da Sinagoga de Nova York pediu que ele respondesse a esse boato, ao que Einstein respondeu por telegrama o seguinte: "Eu aceito o mesmo Deus que o nosso grande Spinoza chama a alma do Universo, não creio em um Deus que se preocupe com as nossas necessidades pessoais".

Graças a essa experiência do Deus cósmico, era Einstein um homem profundamente feliz, silenciosamente feliz. E, quando alguém é feliz em si mesmo, então ele é espontaneamente bom para os seus semelhantes e amigo de todas as criaturas. Muitos homens são maus unicamente por serem interiormente infelizes.

A profunda vertical da experiência mística transborda sempre na vasta horizontal da vivência ética.

A consciência da paternidade única de Deus produz a ética da fraternidade universal dos homens.

Tenho sido perguntado repetidas vezes se a ciência leva a Deus. Respondo que a ciência pode ser uma seta no caminho que aponta para Deus — mas, segundo as palavras do próprio Einstein "do mundo dos fatos não há nenhum caminho que conduz para o mundo dos valores, porque estes vêm de outra região". Einstein traça o diagrama de duas linhas paralelas, ciência e religião, que não se encontram, porque operam em dimensões diferentes: a ciência trata apenas dos fatos (*das was ist*), a religião trata dos valores (*das was sein sole*). Os fatos finitos da ciência não podem conduzir ao valor infinito da consciência, deveríamos optar pela consciência, porque ela conduz à realidade do valor. O melhor seria pôr a ciência a serviço da consciência, os fatos a serviço dos valores.

Einstein aos vinte anos, quando cursava Matemática e Física no Instituto Politécnico de Zurique, 1905.

O QUE O MUNDO PENSA DE EINSTEIN

Os conceitos que acabamos de expor nestas páginas eram sentidos ou adivinhados por muitas pessoas, embora fossem expressos de outro modo.

Um autor diz que a mentalidade de Einstein é antes *religiosa* do que científica. Outro afirma que se parece antes com uma *obra de arte* do que com ciência, arte que se deve não entender, mas saborear.

Ambos têm razão; religião e arte têm que ver muito mais com intuição do que com análise. Quase todos os grandes gênios da humanidade, sobretudo os altamente cosmo-conscientes, operam em uma dimensão superior da simples inteligência. Para ter certeza da verdade necessita-se de um processo não meramente silogístico, porém altamente intuitivo.

Assim, por exemplo, diz o autor Peter Michelmore, no seu livro *Albert Einstein, Genie des Jahrhunderts* (Albert Einstein, gênio do século): "Einstein estava a tal ponto abismado na física que perdera qualquer noção de tempo. Dentro da sua voluntária prisão, no sótão de um edifício de sete andares, reinava o silêncio e a penumbra".

Não parece este ter sido o autêntico ambiente de um místico ou mago, que ignorava tempo e espaço e, creando esse ambiente de recipiência propícia, no qual possa ser invadido pela alma do cosmo?

Diz ainda o mesmo autor: "A tal ponto se abismava Einstein em pensamentos abstratos que se lhe tornava difícil prestar atenção a acontecimentos terrenos. E, no caso que, apesar disto, estes lhe prendessem a atenção, sentia-se repelido pela mesquinhez e brutalidade, ao ponto de novamente se abismar na sua física".[1]

A um amigo Einstein escreveu: "Tomara que existisse algures uma ilha para homens sábios e de boa vontade!" Mas essa ilha não existia lá fora, e por isso Einstein creou uma ilha metafísica para dentro da qual se refugiava, recolhendo-se ao acanhado cantinho no último andar do edifício onde ele encontrava essa ilha feliz dentro de si mesmo.

A ciência só falava da Teoria de Einstein em termos abstratos e acadêmicos, mas o povo clamava por uma explicação inteligível, que nem os cientistas nem o próprio Einstein podiam dar. Quando a sua visita aos Estados Unidos atingiu o clímax desse brado do povo e da publicidade da imprensa, Einstein não formulou nenhuma explicação porque no plano mental em que o público se encontrava não era possível explicar o inexplicável. Era como se alguém quisesse explicar a um inexperiente em eletrônica como se pode falar com alguém a milhares de quilômetros de distância, ou até ver uma pessoa ausente.

Max Planck, o autor da célebre teoria dos *quanta*, e outros cientistas de projeção que desde o início reconheceram a importância da teoria, não fizeram quase nenhum esforço para a difundir. Reconheceram que o espírito normal não a podia compreender, uma vez que a teoria contradiz todo o modo de pensar do homem comum e priva a sociedade de um ceticismo sadio. Pode ser que leve gerações e gerações até que a Teoria da Relatividade consiga entrar na opinião pública da humanidade.

Com essas palavras enunciaram Max Planck e outros cientistas uma grande verdade: enquanto a humanidade não entrar em uma zona de cosmo-consciência, não haverá uma verdadeira compreensão da mentalidade de Einstein.

---

[1] Na "sua" física, isto é, na física teórica, na maravilhosa alma da natureza e não no seu corpo material.

Diz ainda o citado autor que, embora Einstein fosse um homem de carne e osso, ele se identificava totalmente com a realidade espiritual da física. Não se considerava como nenhum homem excepcional; estava apenas se identificando totalmente com esta verdade, que outros não percebem.

E nisto revela Einstein precisamente o seu poder de unipolarização mental, que caracterizava o verdadeiro iogue e o místico.

Em uma reunião científica em Londres, o físico Sir Joseph John Thomson afirmou que a descoberta de Einstein era o maior triunfo do espírito humano; acrescentou que apenas doze homens no mundo compreendiam essa teoria, mas que ele mesmo, Thomson, não fazia parte desses doze.

A compreensão da teoria de Einstein supõe vastos conhecimentos de física, não há dúvida, mas o que os maiores cientistas concebem é que muito mais importante do que esses conhecimentos empírico-analíticos é uma *determinada atitude abstrata própria do espírito de Einstein.*

Não estranhemos que Max Planck e outros releguem a compreensão da mentalidade de Einstein às gerações futuras. Lembremos outros fatos congêneres afirmados há séculos e até hoje não praticados. Quem, por exemplo, aceita a homeopatia, embora esteja provado que ela daria saúde ao corpo humano?

Quem evita o carnivorismo excessivo, embora seja fonte de muitas doenças?

E, sobretudo, onde existe uma organização mundial, civil ou eclesiástica, que proclame a mensagem do Cristo como garantia única da tão desejada fraternidade universal?

Quem se guia de fato pelos "dois mandamentos em que se baseiam toda lei e os profetas?"

Indivíduos isolados, é verdade, se guiam por essa mensagem suprema, mas nesses dois mil anos nem 10% da sociedade humana erigiu em diretiva real estas verdades proferidas há quase 20 séculos.

O que a humanidade praticou durante muitos séculos, embora o saiba errado, dificilmente deixará de o praticar daqui por diante.

Para a vida diária do homem, a aceitação da Teoria da Relatividade não tem importância alguma; é antes um *hobby* do que uma necessidade vital. Mil vezes mais importante seria que a humanidade aceitasse da parte de Einstein outras verdades mais necessárias para a vida humana, como seja o seu espírito de solidariedade universal, o seu desprendimento dos bens terrenos, o seu espírito de fraternidade independente de raça, classe ou credo.

Peter Michelmore no citado livro refere o seguinte episódio hilariante.

O grande jornal *New York Herald Tribune* fez questão de oferecer a seus leitores o texto completo da revolucionária Teoria da Relatividade e insistiu que lhe telegrafassem na íntegra a complicada equação, cheia de sinais convencionais, letras gregas, frações, raízes quadradas e cúbicas e outros hieróglifos, que são de uso nessas misteriosas fórmulas. Ainda por cima a fórmula tinha de ser traduzida do alemão de Berlim para o inglês de Nova York. John Elliot tomou sobre os ombros a difícil tarefa. Eram nada menos de seis páginas repletas de fórmulas matemáticas. Durante toda a noite o telégrafo transatlântico gemeu com a transmissão de tamanha carga de enigmas.

Na manhã seguinte em Nova York, Chicago, Filadélfia, Los Angeles, Rio de Janeiro, Buenos Aires etc., milhares de pessoas leram, ao café da manhã, essas seis páginas de hieróglifos — e ninguém entendeu palavra alguma.

Numerosos leitores pediram ao *New York Herald Tribune* que explicasse em poucas linhas o sentido dessas seis páginas de mistérios, mas o jornal respondeu que entre os seus diretores não contava uma das doze pessoas do mundo que diziam compreender Einstein.

Daí por diante, toda a vez que alguém afirmava ter compreendido Einstein, bastava fazer-lhe o pedido: faça o favor de explicar a Teoria da Relatividade — e era silêncio em toda a linha.

Na União Soviética do tempo de Lenin, se fez grande silêncio sobre a teoria de Einstein, porque os pontífices do Governo haviam declarado que o átomo não podia ser dividido, por ser a base da matéria, e sem matéria não haveria materialismo, um dos pilares do comunismo.

O fato de Einstein tanto falar em Deus deve ter sido outro escândalo para o ateísmo militante.

Einstein sabia que o átomo era o embrião do Universo; se fosse destruída essa célula-mater do cosmo, seria cometida uma espécie de cosmocídio, e não seria isso uma obra anti-divina?

Por largo tempo Einstein contemplava a sua fórmula fatídica, mas lá nas profundezas da sua consciência uma voz misteriosa lhe dizia que um átomo dimensional e divisível não era atômico (palavra grega para indivisível). E então se lembrava o matemático daquele outro átomo de que Demócrito falara, 400 anos antes de Cristo: o *átomo metafísico*, que nenhum homem pode dividir nem destruir, o átomo indimensional, puramente qualitativo, que é o verdadeiro alicerce do Cosmo.

E Einstein, mais uma vez, se enchia de profunda admiração por esse outro autor da Teoria Atômica, o verdadeiro descobridor do átomo, que é a base indestrutível do Universo.

Einstein no ano em que publicou
a Teoria da Relatividade Restrita, 1905.

A REALIDADE SIMULTÂNEA E AS FACTICIDADES SUCESSIVAS

No capítulo 10, O Novo Messias, da obra *Einstein, The Life and Times* (Einstein, sua vida e sua época), de Ronald W. Clark, Erwin Schroedinger (páginas 249/50) escreve que a *time table* (tabela de tempo) de Einstein não parece ser uma coisa tão séria como se imagina à primeira vista. "Esse pensamento é um pensamento religioso, ou antes, deveríamos chamá-lo o pensamento religioso de Einstein."

Aqui Schroedinger toca no *pivot* da questão, que muitos sentem e poucos sabem ou ousam expressar. A teoria de Einstein está baseada em uma visão de *simultaneidade* e ignora tempo e espaço; não obedece a uma análise de *sucessividade*, que conhece duração de tempo e dimensão de espaço.

Já nos tempos de Immanuel Kant — cuja vida, aliás, tem muitos pontos de contato com a de Einstein — foi discutida a tradicional concepção de tempo e espaço; e o solitário eremita de Koenigsberg, depois de mais de meio século de paciente incubação, fez eclodir a verdade de que tempo e espaço são categorias subjetivas dos nossos sentidos, e não realidades objetivas do mundo externo. Tempo e espaço são, para Kant, como um par de óculos que fazem parte da natureza humana, através dos quais o homem percebe todas as coisas; mas, como o homem ignora esses seus óculos tempo-espaço, ou seja, duração-dimensão, vive na permanente ilusão de que esta dupla sucessividade faça parte do mundo objetivo. Já observava Kant que nada é sucessivo *em si*, mas tudo é sucessivo em *mim*; a pseudo-sucessividade está nos meus sentimentos, não na realidade; esta é totalmente simultânea, independente de tempo (sucessividade duracional), e de espaço (sucessividade dimensional). A simultaneidade induracional se chama "Eterno" (ausência de tempo), e a simultaneidade indimensional se chama "Infinito" (ausência de espaço).

Por que é que o homem é uma permanente vítima da ilusão de tempo e espaço?

A fim de poder existir como indivíduo.

Os nossos sentidos, diz Aldous Huxley, são válvulas de redução e de retenção, graças às quais o homem existe como indivíduo (ex-sistir = ser colocado para fora). Se o homem sofresse o impacto total da Realidade, da Luz integral do Ser, seria aniquilado. O homem existe graças a suas limitações. Tempo e espaço são como que luzes suavemente dosadas para que o indivíduo humano possa suportá-las indene.

Voltando ao nosso ponto de partida, Schroedinger afirma que essa visão de Einstein sobre tempo e espaço é "o pensamento religioso" dele. Repetidas vezes, o autor do recente livro sobre Einstein, Ronald W. Clark, frisa este fato paradoxal de que Einstein era um cientista que muito falava em Deus. Os cientistas materialistas do século XIX evitavam cuidadosamente usar a palavra Deus, com medo de empanarem o esplendor da sua glória de cientistas autênticos e 100% sérios. J. W. Hauer, no seu livro monumental *Der Yoga* (O Yoga), explica esse pavor supersticioso de muitos cientistas ocidentais, ao passo que no Oriente não ocorre essa superstição antidivina e antirreligiosa. No Oriente, Deus e religião nada têm que ver com teologias, seitas, igrejas, grupos sectários, como muitas vezes acontece no Ocidente; no Oriente Deus é a alma do Universo, a suprema e universal Realidade; e religião é a re-ligação consciente do homem com esse poder infinito, perfeitamente compatível com a ciência do homem. No Oriente o verdadeiro *sábio* é o *santo*.

Quando Clark apresenta Einstein como um homem profundamente religioso, e quando Schroedinger vê na ideia da simultaneidade de tempo e espaço de Einstein o pensamento religioso dele, voltam eles ao conceito de religião no verdadeiro sentido filológico do termo: de *re-ligar*.

Einstein nunca professou sectarismo de espécie alguma, mas foi um homem profundamente religioso, no sentido da matemática, da metafísica e da mística. Para os teólogos deve ele ter sido um *ateu* — mas para os verdadeiros filósofos era um místico, no bom sentido do termo.

Na sua visão de simultaneidade de tempo e espaço se encontraram, no espírito de Einstein, a suprema e única Realidade da matemática, da metafísica e da mística.

A constante insistência que Einstein faz no fato de que "o princípio creador reside na matemática" e que a concentração no UNO do Universo faz descobrir as leis do Verso, este fato só é compreensível à luz da única e suprema Realidade do Universo, a que os homens podem dar quantos nomes quiserem, mas que não deixa de ser a única Realidade verdadeira, na qual os homens enxergam tantas facticidades ilusórias.

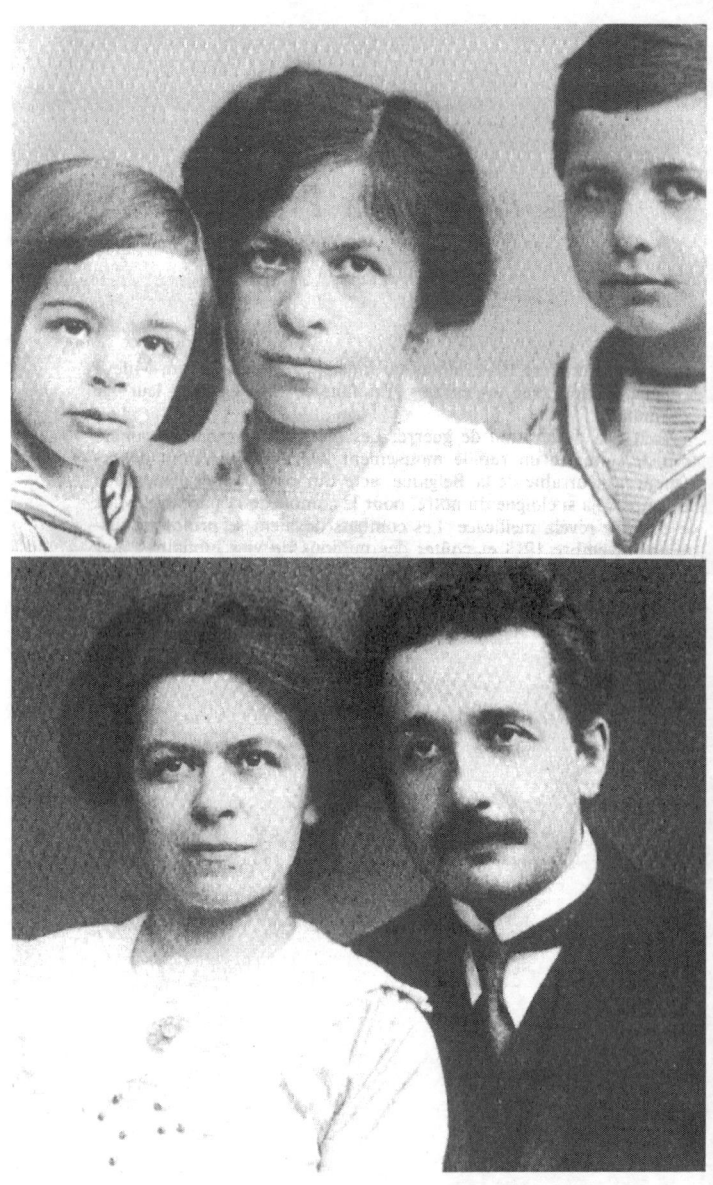

Acima: Mileva ao lado dos filhos, Edward e Hans Albert.
Abaixo: Mileva e Einstein, 1914.

O MISTÉRIO DO SILÊNCIO

Para o homem profano e inexperiente, o silêncio é uma simples ausência de ruídos, sobretudo de ruídos físicos.

E, como o ego humano vive no ruído e do ruído, o silêncio representa para o homem profano a morte. O homem comum se afoga literalmente no oceano pacífico do silêncio. Um padre, interrogado se fazia de manhã uma hora de silêncio meditativo, respondeu-me que, se o fizesse, iria enlouquecer. Uma senhora, muito religiosa, afirmou-me que tinha certeza de que nem ela nem ninguém era capaz de fazer meia hora de meditação.

Ouve-se falar muito sobre o que Jesus disse e fez, mas não se fala sobre o que não disse e não fez, por exemplo, sobre os dezoito anos de silêncio em Nazaré e sobre os quarenta dias de silêncio no deserto.

Moisés e Elias passam quarenta dias de silêncio na solidão com Deus.

Francisco de Assis passa meses inteiros de silêncio nas alturas do Monte Alverne, depois do que apareceu o Cristo crucificado e lhe imprimiu as suas chagas.

Paulo de Tarso, após a sua conversão em Damasco, retira-se para os desertos da Arábia, onde permaneceu três anos em solidão com Deus.

Rabindranath Tagore e Mahatma Gandhi praticavam longos períodos de silêncio.

A ordem dos Trapistas, um de cujos membros Tomas Merton se tornou ultimamente célebre por seus escritos, vive praticamente a vida inteira em permanente silêncio. Sobre a Trapa perto de Paris, se vê esta legenda: "O pesar de viver sem prazer bem vale pelo prazer de morrer sem pesar".

Um dos maiores tesouros que o Cristianismo oficial perdeu nestes últimos séculos foi, sem dúvida, o tesouro do silêncio dinâmico. E talvez seja esta uma das principais razões da sua ineficiência na sociedade humana.

Silêncio é receita — ruído é despesa. E quem tem mais despesas do que receitas abre falência. Aliás, esta nossa pobre humanidade de hoje está permanentemente falida.

Quando digo aos profanos que grupos da "Alvorada" fazem periodicamente o seu Retiro Espiritual de três, nove e até mais dias de total silêncio, o inexperiente logo pensa em doença física ou mental.

A razão deste horror ao silêncio é o conceito radicalmente falso sobre silêncio.

O profano entende por silêncio não falar nem ouvir nada. Outros, mais avançados, incluem no silêncio também a ausência de ruído mental e emocional, nada pensar e nada desejar.

Mas entre mil pessoas não encontramos uma que entenda por silêncio uma grandiosa atitude de *presença cósmica* ou uma fascinante *plenitude univérsica*. Só pensam em silêncio como *ausência* e como *vacuidade* e, como a natureza tem horror à ausência e à vacuidade, esses inexperientes não podem amar e querer bem ao silêncio, que não lhes parece fecundação e enriquecimento da alma.

Até que o homem, diz o maravilhoso livrinho de Mabel Collins, *Luz no caminho*, possa ouvir a voz dos Mestres, deve ele ter se tornado totalmente surdo aos ruídos profanos.

Enquanto o homem vive na falsa concepção, que quase todos nós aprendemos nos colégios e nas igrejas, de que meditação consiste em analisar determinados textos sacros, estão todas as portas fechadas e nunca aprenderemos a arte divina do silêncio fecundo e enriquecedor.

Meditar não é pensar. Meditar é esvaziar-se totalmente de qualquer conteúdo do ego e colocar-se, plenamente consciente, como canal vazio, diante da plenitude da Fonte, ou em linguagem da Sagrada Escritura: "Sê quieto — e saberás que Eu sou Deus". Ou ainda: "Deus resiste aos soberbos (ego-plenos) e dá sua graça aos humildes (ego-vácuos)". Segundo a eterna matemática cósmica, a cosmo-plenitude plenifica somente a ego-vacuidade, mas não plenifica a ego-plenitude.

Disto sabia Maria quando exclamou diante de Isabel: "Deus encheu de bens aos famintos e despediu vazios os fartos". Ou ainda no Sermão da Montanha de Jesus: "Bem-aventurados os que têm fome e sede de justiça (verdade), porque eles serão saciados".

O silêncio-presença e o silêncio-plenitude são uma ausência e uma vacuidade do ego humano que tem intenso desejo da Teo-presença e da Teo-plenitude.

* * *

Mesmo no terreno meramente humano vale esta matemática: o homem que já superou e se desiludiu da esperança de encontrar na zona meramente periférica das exterioridades relativas e inconstantes a verdade do Uno dirige-se, como o girassol, ao centro do Absoluto e constante da Realidade.

Pode-se dizer que a Teoria da Relatividade é uma fuga de todas as coisas relativas e um refúgio para dentro do Absoluto.

Quem não vislumbrou, ou pelo menos farejou o Absoluto, o Uno, em longos e profundos mergulhos de silêncio, não sente a vacuidade dos Relativos e o desejo do Absoluto.

Pela vacuidade do silêncio prolongado, a plenitude da alma flui irresistivelmente para dentro da vacuidade do cosmo humano.

O silêncio é a linguagem do espírito — que é interrompido pelo falar.
Nunca vi homem mais silencioso do que Einstein.

A COSMO-PLENITUDE INVADINDO A EGO-VACUIDADE

Em diversos capítulos anteriores, frisando a atitude de Einstein em face do Uno do Universo, para receber a intuição da Teoria da Relatividade, nos temos referido a uma condição peculiar que o homem deve cumprir para que esta revelação da verdade cósmica lhe seja concedida.

E é precisamente aqui que começa o mais difícil da nossa tarefa — para não dizer o impossível.

Antes de tudo temos de nos referir mais uma vez à natureza e constituição do próprio Universo, de que o homem faz parte integrante.

Felizmente, a própria palavra Universo nos dá uma pista ideal para a solução. O Cosmo ou Mundo é um sistema bipolar, composto do Uno da causa e do Verso dos efeitos. O Uno pode também ser chamado *Fonte*, e o Verso são os *canais*. A própria palavra Verso quer dizer "derramado", sendo o particípio passado do verbo latino "vertere", que significa efundir, derramar. Assim, a própria filologia do termo nos dá o sentido exato da sua significação.

A única fonte do Uno se efunde pelos canais múltiplos do Verso. O Uno é o mundo da Causa Infinita, o Verso é o mundo dos efeitos finitos.

Dissemos que o homem, para intuir ou ver de dentro a verdade integral, deve identificar-se totalmente com o Uno, a Causa, a Fonte, a Realidade, o Infinito; só assim poderá ter uma visão total e adequada de todo o Verso das coisas finitas, creadas.

Mas como esta total identificação do Uno não obedece a um processo de finitos — porquanto o Uno da Realidade infinita não é o resultado ou a soma total de todas as partes do Verso — surge o tremendo paradoxo, ou antes, o ominoso enigma: *de que modo alcança o homem a posse do Uno, uma vez que não o alcança pela soma das partes do Verso?*

Frisamos, desde já, que esta é certamente a mais obscura de todas as perguntas da filosofia e da religião.

Aqui estamos, à primeira vista, diante de um impasse sem nenhuma solução.

E a resposta final seria um total desespero: nenhum homem poderia alcançar Deus, ou seja, a Verdade.

E por mais absurdo que pareça, nós, de serena e tranquila consciência, aceitamos este tremendo absurdo: nenhum homem pode alcançar a Deus, à Verdade, à Redenção.

Felizmente, existe outra alternativa, gloriosa e redentora, mas que é conhecida de pouquíssimos. O grosso da humanidade julga poder alcançar Deus ou a Verdade pelos seus esforços pessoais; outros acham que Deus salva arbitrariamente pela sua graça os que ele quer, deixando perecer os outros.

A filosofia Univérsica, porém, não endossa nenhuma destas alternativas.

É absolutamente impossível, em face da mais pura lógica e da mais genuína matemática, que um ser finito possa, com a soma total dos seus recursos finitos, alcançar um alvo infinito.

Nenhum homem pode atingir Deus.
Mas... Deus pode atingir o homem.

É diametralmente contrário à matemática que algum finito atinja o Infinito — mas é perfeitamente lógico, dentro da mais rigorosa matemática, que o Infinito atinja o finito.

Deus pode invadir o homem, suposto que o homem seja invadível.

O homem não pode ser causa, autor dessa invasão divina — mas pode ser condição ou canal dessa invasão.

O homem não pode iluminar sua sala com luz solar, mas pode abrir uma janela para que o sol a ilumine.

* * *

Passando a questão para o terreno comum: o homem que se acha no Verso das facticidades empírico-analíticas não pode criar a intuição da Realidade do Uno — pode todavia crear dentro do seu ser uma condição tão favorável que o Uno, segundo as suas próprias leis, possa visitar e invadir o Verso.

Em que consistem essas condições propícias?

É necessário lembrar que o Uno do Universo é absoluto e eterno silêncio, e tanto mais favorável é a invasão do Uno no Verso quanto mais silencioso for este. Por via de regra, o Verso é ruído — ruído material, ruído mental e ruído emocional.

Na razão direta que o Verso (ego) diminuir os seus ruídos, tanto mais facilmente pode ser invadido pelo silêncio do Uno.

Convém lembrar que esse silêncio não é *ausência* e *vacuidade*, mas é *presença* e *plenitude*. O mais intenso silêncio do Uno é a mais absoluta presença e a mais total plenitude.

O silêncio do Verso (ego) creado pelo Uno (Eu) é 100% consciência e 0% pensamento.

Perfeitamente silencioso é aquele que tem 100% de consciência do seu Eu cósmico e 0% de pensamento do seu ego humano.

O matemático capaz de impor silêncio total ao seu ego empírico-mental e permitir a voz total do seu Eu racional, esse está na fonte de todos os conhecimentos; enxerga de cima, de uma visão cosmorâmica, todas as baixadas das leis cósmicas.

Esta voz do silêncio cósmico tem de ser treinada diariamente, por algumas horas, até que se torne fácil e espontânea, convertendo em atitude permanente os atos intermitentes.

Quando, finalmente, o homem assim treinado pode dizer: os atos que eu faço não são meus, mas são da minha atitude; de mim mesmo, do meu ego pessoal, eu nada posso fazer, quem faz estes atos é o meu Eu cósmico — então enxerga ele o Universo todo das alturas do Uno e todas as coisas do Verso lhe são fáceis e evidentes. Do Everest da sua cosmovisão vê todas as encostas e baixadas do seu Himalaia, que se lhe tornam absolutamente claras e sem mistério.

E então o homem univérsico tem a visão unitária de todas as diversidades.

* * *

Não cremos que sem esta visão unitária do Cosmo, nascida de um grande e prolongado silêncio, possa ser devidamente compreendida a Teoria da Relatividade de Albert Einstein.

E ele mergulhava assiduamente nessas profundezas cósmicas, permitindo que seus canais fossem plenificados pela plenitude da Fonte.

É nesse sentido que Einstein afirma categoricamente: "É na matemática que reside o poder creador".

"A intuição é a Fonte das grandes descobertas".

A VISÃO UNITÁRIA
DA REALIDADE

Por via de regra, o cientista, para ter certeza de uma coisa incerta, começa pelo lado empírico-analítico, e daí tenta atingir a Realidade metafísica intuitiva. Ou, para nos servirmos da linguagem da Filosofia Univérsica, o cientista principia pelo Verso das coisas externas, dos Finitos, das quantidades, e pela progressiva condensação e convergência dessas linhas — que a lógica chama *a posteriori* ou indutivas — procura chegar ao ponto focal — que a lógica denomina *a priori*, dedutivo.

Todo este procedimento do cientista comum parte do princípio — profundamente errôneo — de que a soma total dos finitos dê infinito, de que as coisas dimensionais, quando devidamente condensadas, possam resultar na indimensionalidade.

Esta ilusão é geral de todas as pessoas habituadas a se guiar unicamente pelo testemunho dos sentidos e não ter experiência alguma de uma faculdade humana não baseada nas facticidades quantitativas dos sentidos externos, sujeitos a tempo e espaço; para estas pessoas nada é real se não provém das categorias do tempo e espaço, que são atributos dos sentidos, puras ilusões, porém tidas por realidades.

Quando então o homem consegue libertar-se, pelo menos momentaneamente, da ilusória escravidão dos sentidos, e com isto, de tempo e espaço, enxerga ele pela primeira vez a realidade em si mesma, totalmente independente de tempo e espaço.

E então contempla o homem o UNO do Universo, independente do Verso. Enxerga, sim, o Verso das coisas Finitas, mas não como a causa do Uno. Inverteu-se totalmente a ordem: esse homem enxerga o Uno da Realidade diretamente, como quem enxerga uma luz em si mesma, e vê as sombras e penumbras dessa luz apenas como efeitos e consequências secundárias dessa luz. Para ele, a luz não é causada pelas sombras e penumbras, mas existe independente delas. A soma total de sombras e penumbras não formam a luz, mas são resultantes da luz.

Esta visão direta da luz se chama *a priori*, dedutivo, intuitivo, puro raciocínio, revelação direta, visão da Realidade.

* * *

Surge agora o magno problema: como pode o homem atingir esta visão direta e imediata da luz da Realidade? Não necessita ele subir gradualmente a esta altura da verdade total através de caminhos múltiplos de facticidades parciais? Não deve o homem escalar o cume do Everest através de muitos ziguezagues do Himalaia de sua penosa peregrinação através das encostas da montanha?

Todas estas perguntas e dúvidas teriam sua razão de ser se a natureza humana fosse, em sua essência, um *composto* feito de muitos *componentes*, cuja soma total resultasse nesse composto. Mas é precisamente este o erro trágico da concepção da natureza humana: o homem não é um composto feito de muitos componentes — o homem, em sua essência, é o próprio POSTO, nem composto nem componentes. O homem em sua essência, no seu mais profundo reduto não é o resultado de muitas partes, de muitas parcelas finitas donde procede o foco final dos raios convergentes.

A maior descoberta que o homem cósmico faz consiste precisamente neste fato, de que ele é em sua essência o seu UNO Infinito, absolutamente simples. E somente tomando essa simplicidade do Uno por ponto de partida é que o investigador atinge o *ponto* de Arquimedes, o *movente imóvel* de Aristóteles, o *átomo* de Demócrito, o *Atman* dos hindus, o *Pai celeste* do Cristo.

O Atman (Eu) é Brahman (Deus) dizem os pensadores do Oriente. O Atman é essencialmente o Criador, embora existencialmente uma criatura; ele é o Infinito, o Posto, embora em individuação finita. O homem é o ser, em forma de existir.

No Evangelho do Cristo aparece nitidamente esta verdade fundamental.

Esta visão da Realidade resolve todas as dúvidas e obscuridades.

Ora, quando o homem entra em um foco desta consciência do Uno, do Posto, da Unidade, então está ele na Fonte de todo o Ser, de todo o Saber, e de todo o Poder.

De dentro deste Ser pode ele agir sobre todas as periferias do seu Existir — assim como quem está na usina geradora da energia elétrica pode daí dirigir luz, calor e força.

Esta consciência de puro Ser nada tem a ver com religião, espiritualidade, mística, Deus etc. Verdade é que, por vezes, esse estado se manifesta em fenômenos desta natureza; mas em sua essência se trata da Realidade cósmica, que é uma só.

Assim, um matemático que é dominado pela consciência do Uno em sua raiz e causa pode manifestar esse Uno em qualquer forma de Verso, de efeitos, de canais, de ramificações, uma vez que ele está consolidado na Fonte do Ser, do Saber e do Poder. Por isto pode saber pela visão do Uno como funciona o Verso. Quem está na nascente das águas vê em que direção fluem os canais, os rios, os regatos.

Quem está no centro de uma usina geradora sabe em que direção partem os cabos que distribuem a energia elétrica.

Quando Einstein afirma que basta o puro raciocínio para conhecer as leis da natureza, que outra coisa afirma ele senão esta posição central no Universo? Quando ele afirma que basta uma concentração mental de 100% para conhecer, sem nenhuma experiência empírico-analítica, as verdades da natureza, que é isto senão assumir uma posição central na verdade?

Na carta em que Einstein escreveu a um amigo, um ano antes da sua morte, em 1954, como refere a revista *Time*, afirma ele que, antes de lançar no papel a fórmula da relatividade E=mc², não teve a menor lembrança de haver feito experiências empíricas fora da concentração racional.

Nos setores inferiores a nossa ciência necessita de processos empírico-analíticos, mas nas mais excelsas alturas da intuição o homem intui diretamente a Realidade.

Contudo, em todos esses casos, Einstein ressalva que os processos empírico-analíticos são necessários como preliminares, embora não sejam suficientes como solução definitiva; assim como o abrir uma janela é condição necessária para que a luz solar entre na sala, embora não seja causa suficiente da sua iluminação da verdade.

A nossa filosofia cósmica ou univérsica, cujo berço é o Brasil, é a mais brilhante confirmação desse processo racional usado por Einstein e que o conduziu à Teoria da Relatividade.

É este, aliás, o mesmo processo usado por todos os grandes iniciados, quando realizam os seus chamados "milagres". Basta que o homem consiga identificar-se totalmente com o "princípio creador", e ele tem poder sobre todas as "creaturas".

Entretanto...

O último segredo está em como conseguir esta identificação com o princípio creador do Universo que, segundo Einstein, reside na Matemática.

A matemática, porém, não depende de tempo e espaço, como as ciências físicas; ela, quando abstrata, é totalmente independente de qualquer categoria temporal e espacial, e por isto o matemático pode agir sob o signo do Absoluto, do infinito, recebendo mensagem direta do Uno do Universo.

DA MONARQUIA SOLAR DE NEWTON PARA A COSMOCRACIA UNIVERSAL DE EINSTEIN

Newton fez do Universo uma grande *máquina*, cujo maquinista, para o nosso sistema planetário, era o sol.

Einstein considera o Universo como um grande *pensamento*, que não reside em determinado lugar, mas está onipresente.

A monarquia solar, como Garbedian chama o Universo newtoniano, tem o seu trono em um lugar sideral perto. Com a ampliação posterior da visão do Universo, o trono do monarca passou a ser em alguma galáxia, mas a ideia continuava a girar em torno de um centro local, geométrico.

Para Einstein, porém, a monarquia solar ou galáctica passa a ser uma cosmocracia universal. O monarca solar dava ordem a seus súditos, os planetas e planetoides; a monarquia galáctica exercia domínio sobre legiões de sóis, estrelas e vias lácteas, mas continuava a ter o seu trono em uma determinada parte do cosmo, mesmo que fosse dali a milhões e bilhões de anos-luz.

Mas o monarca da cosmocracia einsteiniana não reside em parte alguma, porque está presente em toda parte; é um poder onipresente, é uma consciência universal. O seu trono é no átomo e na molécula, na célula e na individualidade. Já no século quinto da nossa era, teve Santo Agostinho a mesma concepção univérsica da hierarquia cósmica, quando escrevia: "O centro de Deus está em toda parte". E, séculos antes desse genial africano, o maior dos gênios da Ásia e do mundo enunciou esta mesma verdade, quando disse a seus discípulos: "O Pai está em mim, e eu estou no

Pai... o Pai também está em vós e vós estais no Pai". Quer se diga "centro" ou "Pai", a ideia é a mesma que Einstein denomina "Lei". Segundo a "apocalipse matemática" de Einstein "Deus é a lei e o legislador", que não reside aqui ou acolá, como uma entidade local, transcendente, mas é a própria consciência cósmica, imanente em todos os seres, nos indizivelmente pequenos e nos inconcebivelmente grandes.

Nem a geometria tridimensional de Euclides, nem a geometria quadridimensional de Einstein localizam o monarca do Universo em algum lugar determinado, nem em um certo tempo, porque tempo e espaço pertencem ao mundo relativo do Verso, das facticidades, ao passo que a consciência cósmica é o Uno da Realidade, que é o Infinito, o Absoluto, o Eterno, o Onipotente, que permeia todos os Finitos, mas não é idêntico a nenhum deles.

Nenhum átomo, nenhuma célula tem ordem extrínseca de se portar assim ou assim; cada um deles é uma entidade autônoma, uma autarquia ou autocracia, cujo governo reside dentro dessa própria entidade.

Quem, como o autor deste livro, lida com abelhas, pode ilustrar esta autocracia cósmica com a vida da *apis mellifera*. É a opinião dos imperitos que a rainha das abelhas seja uma soberana, responsável pelo governo da colméia. Na realidade, porém, a tal rainha é apenas uma poedeira que, durante os cinco anos da sua vida, não faz outra coisa senão engolir geleia real para poder pôr ovos, e nada mais. A rainha não dá ordem a nenhuma abelha, porque toda abelha, desde que sai do alvéolo até que, aos 40 ou 45 dias, morre na solidão da mata, sabe o que tem que fazer; ela tem o seu governo dentro de si mesma, e obedece ao imperativo categórico, que vem de dentro dela. Uma colmeia é a perfeita imagem de uma "anarquia cósmica", isto é, uma perfeita ordem e harmonia sem nenhum governo externo; o sem-governo (anarquia) se refere a um fator extrínseco, mas o governo (autarquia) está dentro de cada abelha. É a consciência apiária que governa e, por isto, não há necessidade de uma organização externa.

Se o homem fosse governado pelo seu princípio cósmico, por seu Eu verdadeiro, não necessitaria de nenhuma organização engendrada pelo ego, sempre tão precária; não necessitaria nem de monocracia (monarquia ou ditadura) nem de democracia, mas a consciência cósmica lhe daria perfeita harmonia individual e social.

A consciência cósmica universal governa o Universo — que é *Kosmos* (beleza) e *Mundus* (pureza). A mesma consciência cósmica, individualizada no homem, faria da vida humana beleza, pureza e harmonia, se o homem permitisse ser governado por esta consciência, que nele é sua alma, o seu Eu divino, o Pai, o Cristo interno.

Einstein, pode-se dizer, cosmificou e imanentizou o monarca solar e galáctico que, na teoria de Newton, ainda ocupava um determinado trono local.

Einstein e sua famosa cabeleira, conhecida no mundo todo.

A SIMPATIA DE EINSTEIN PELA AMÉRICA LATINA E SEU ANSEIO PELA PAZ

Ronald W. Clark, no último capítulo da sua obra sobre Einstein, dedica algumas páginas profundamente humanas aos últimos anos do grande matemático. Durante quase 20 anos nos Estados Unidos, Einstein havia perdido o seu otimismo inicial, e uma sombra pressaga de pessimismo e dolorosa decepção se havia apoderado dele.

Seu grande amigo e colaborador Robert Oppenheimer, depois da bomba de urânio lançada sobre Hiroshima e Nagasaki, que matou mais de cem mil pessoas, se retirara definitivamente de todos os trabalhos científicos relacionados com o mundo atômico. O célebre livro francês *O Caso Oppenheimer*, que também foi representado nos palcos de São Paulo, revela os motivos de consciência por que Oppenheimer desistiu das experiências nucleares e se entregou de corpo e alma ao estudo da filosofia e das coisas mais humanas. Não muitos anos depois, o fabricante da bomba atômica faleceu em estado de extrema fraqueza e inanição, como se os remorsos de consciência o tivessem envenenado.

Einstein compreendia cada vez mais que grande parte da celebridade e popularidade de que ele mesmo gozava nos Estados Unidos não se baseava propriamente na sua pessoa humana, mas sim em sua produtividade e utilidade, no caráter pragmático do seu trabalho. Os Estados Unidos viam na Rússia o seu inimigo número um, e Einstein era ou fora uma esperança para a predominância dos Estados Unidos sobre o seu rival.

Einstein diz de si mesmo: "Estou desempenhando o papel de um pequeno D. Quixote".

Mas essa consciência, confessa ou inconfessa, de ser uma "coisa humana", em vez de uma autêntica personalidade com um valor próprio, deve ter sido para ele um sentimento deprimente.

Não fosse a sua idade, 69 anos, e algumas amizades sinceras, sobretudo em Princeton, Einstein teria deixado os Estados Unidos, em que ele via uma segunda Europa militarista.

Israel o convidou, acenando que o aceitaria mesmo que tivesse a idade de Moisés, 120 anos (faltavam pois 51 anos para completar a idade do grande legislador de Israel), mas Einstein sabia muito bem que Israel era outra nação eminentemente militarista, matando com as armas mais modernas dos Estados Unidos os povos árabes, os quais por sua vez bombardeavam os israelitas com as armas moderníssimas da Rússia.

Einstein não sentia o menor atrativo nem pela Europa nem por Israel.

As suas simpatias se voltavam para a América Latina, sobretudo para o Brasil, onde ele tinha diversos parentes da parte de sua mãe Pauline Koch. Parece que a alma humanitária de Einstein sentia que a América Latina era, entre todos os povos do globo, a parcela da humanidade que, até certo ponto, preservara inadulterada uma boa porcentagem da alma naturalmente humana e cristã da sua natureza. A tal ponto, quase no mundo inteiro, o homem se transformou em máquina e em *robot* que, se os acontecimentos prosseguirem no caminho encetado, o homem será a tal ponto mecanizado, massificado e coisificado, que da primitiva imagem e semelhança de Deus pouco restará. Cérebros eletrônicos prestarão serviços muito mais perfeitos e rápidos do que qualquer massa encefálica humana.

É de praxe deplorar as nações subdesenvolvidas, mas será certo que as nações supradesenvolvidas são hoje em dia mais felizes que aquelas? Se o homem se contentasse com um desenvolvimento razoável e com um conforto sadio, muito bem; mas nunca um ego humano para no necessário, quer o supérfluo, quer um confortismo doentio, que cedo ou tarde acabará em confortite mortífera.

Todas as nações poderosas morreram de confortite. Quando um homem põe termo à sua vida, à vista, é chamado suicida; mas, quando se mata em prestações, por um confortismo doentio, então é chamado homem civilizado.

Cedo ou tarde, a América Latina, alucinada como as mariposas em torno da luz, acabará por imitar os Estados Unidos, não apenas no que eles têm de bom, mas sobretudo no que eles têm de mau — e isto é muitíssimo. E as incautas mariposas latino-americanas, de asas queimadas, se debaterão no pó como pobres vermes.

* * *

É visível a mudança de atitudes e ideias que se operou em Einstein à medida que seu saber se ia clarificando e cristalizando.

Nos últimos anos rompeu relações com seu colega Ernst Mach, que tentava construir todo o conhecimento humano em experiências empírico-analíticas, quando Einstein se convencia cada vez mais de que a última certeza vinha de uma *divination*, que talvez equivalha à intuição. "A mente", diz ele, "avança até o ponto onde pode chegar; mas depois passa para uma dimensão superior, sem saber como lá chegou. Todas as grandes descobertas realizaram este salto".

Repetidas vezes rompe, das incônscias profundezas desse homem aparentemente profano, a alma mística de alguns dos antigos hebreus. Ao Dr. Douglas, homem religioso, confessou Einstein: "Se eu não fosse judeu, seria um *quaker*".

Antigamente pendiam das paredes do gabinete de Einstein os retratos de Newton e Maxwell, nos últimos anos lá figurava também a fotografia de Gandhi, a quem ele chamava "o maior homem do nosso tempo" (*the greatest man of our age*). No seu livro *Aus Meinen Späeten Jahren* (Dos meus últimos anos) Einstein completa o mesmo pensamento dizendo: "gerações vindouras dificilmente acreditarão que tenha passado pela face da terra, em carne e osso, um homem como Mahatma Gandhi".

Será que não haverá uma secreta afinidade entre matemática e mística? Não é que ambas convergem na mesma consciência da Realidade?

Imperceptivelmente, nos últimos anos, parece ter-se Einstein aproximado da sabedoria do maior rei de Israel, Salomão, que no ocaso de uma vida cheia de glórias e sucessos suspirou: "Vaidade das vaidades, tudo é vaidade e aflição de espírito, exceto amar e servir a Deus".

ASSIM ERA EINSTEIN

EINSTEIN E A OPINIÃO PÚBLICA

Nos últimos anos da vida de Einstein, a conhecida revista norte-americana *Rearder's Digest* (correspondente à nossa *Seleções*) fez, entre seus leitores, um inquérito sobre o que pensavam de Einstein. A opinião unânime, sem nenhuma discrepância, foi em resumo esta: Einstein é um sábio e um santo; um homem bom; um homem humanitário; um homem cósmico.

A INGENUIDADE DE EINSTEIN

O Prof. Willy Hellpach, então secretário da Educação da Província alemã de Baden, e depois candidato do partido democrático à presidência da Alemanha, diz que se encontrou poucas vezes com Einstein, e apenas rapidamente, mas que desses encontros teve a impressão de uma personalidade sumamente original, de um homem totalmente alheio às realidades da vida pública, e de uma ingenuidade e boa fé quase infantis. Aliás, diz Hellpach, tenho feito repetidas vezes esta mesma experiência com referência a matemáticos exclusivos e naturalistas especializados, sobretudo na física teórica, que se isolavam na torre de marfim de uma lógica dedutiva de precisão de fio de navalha, mas completamente alheia às realidades da vida social humana que, de forma alguma, obedece a esta lógica. Assim, esses campeões da lógica se acham desorientados em face da vida real.

Isto acontecia, diz Hellpach, embora com alguma restrição, com Bertrand Russell, que era, aliás, uma personalidade muito mais traquejada na vida social do que outros.

Hellpach se refere depois ao movimento sionista de Israel, pelo qual Einstein se entusiasmou, quando, no dizer de Hellpach, a missão de Israel não é nacionalista, e sim cosmopolita. Todo entusiasmo nacionalista acaba fatalmente em um fanatismo nacionalista, sobretudo quando a elite inicial dos guias se transforma na massa posterior do povo.

O que Hellpach não diz é que Einstein foi convidado para ser o primeiro presidente da nova República de Israel, convite que o matemático declinou com a motivação: "Não entendo nada de relações sociais, entendo um pouco de matemática".

De resto, por que se admira que Einstein e outros gênios tenham vivido alheios às circunstâncias da vida social, que geralmente se chamam "realidades da vida"? O gênio vive totalmente na sua substância real, e tolera apenas as facticidades fictícias da sociedade.

Imensamente grande é a legião dos *profanos*.

Pequena é a elite dos *gênios* e dos *místicos*.

Raríssimos são os homens *cósmicos* capazes de viver simultaneamente no mundo da Realidade e no mundo das Facticidades.

NADA DE GANÂNCIA

Quando, em 1933, Einstein chegou a Princeton, a Universidade o convidou para Professor de Matemática. O Reitor perguntou-lhe qual a mensalidade que pretendia receber. Einstein respondeu que mandaria uma carta.

Porém, quando a carta chegou, o Conselho Universitário resolveu não aceitar a mensalidade solicitada, mas exigiu que ele recebesse uma mensalidade três vezes maior do que pedira, porque a Universidade de Princeton se desmoralizaria se pagasse a um professor apenas aquela insignificância.

ENTRE SÁBIOS E SANTOS

Na magnífica Igreja Batista de River Side Drive, de Nova York, figuram, em medalhão no alto das paredes internas, os grandes gênios da humanidade de todos os tempos e países. A longa série termina com o medalhão de Einstein, nesse tempo o único sobrevivente dos gênios.

Quando Einstein se viu no meio de sábios e santos da humanidade, fez um exame de consciência e observou: "Isto me impõe uma grande responsabilidade... Será que me tornarei digno de figurar ao lado deles?..."

O que mais o impressionava é que uma Igreja Cristã enfileirasse um judeu no meio dos grandes gênios.

SERÁ QUE JÁ ALMOCEI?...

É sabido que os grandes gênios da humanidade são, geralmente, muito "distraídos".

Essa "distração", todavia, é o auge da concentração. Sendo que eles vivem mais na grande Realidade invisível do que nas pequenas facticidades visíveis, pouco se interessam por essas últimas.

Einstein era um desses grandes distraídos-concentrados, porque vivia mentalmente mais no grande Além do que nos pequenos Aquéns.

Um dia, alguém se encontrou com Einstein em um dos caminhos que do Campus da Universidade de Princeton conduzem, através de bosques, para o alto da colina onde se acha o Institute for Advanced Studies, Centro das Pesquisas Atômicas. Einstein parou e disse ao outro: "O senhor pode me dizer se eu vim pelo caminho da direita ou da esquerda?"

"Pelo caminho da direita", respondeu o outro, e acrescentou: "Mas por que deseja saber isto?"

"Então já almocei", respondeu Einstein meio encabulado. É que antes do almoço costumava ele subir pelo caminho da esquerda.

EINSTEIN PERDIDO EM PRINCETON

A residência de Einstein era, nesse tempo, na Mercer Street, que atravessa um dos bosques do *Campus*. Ao redor de Princeton se alargam vastas e monótonas planícies, pelas quais costumava Einstein dar os seus solitários passeios.

Um dia, logo no princípio da sua estada em Princeton, perdeu-se ele nessas planícies. Entrou em uma casa à beira da estrada e pediu licença para telefonar. O dono da casa perguntou a quem queria telefonar. Einstein respondeu: A Albert Einstein. Esse nome não está na lista telefônica, respondeu o outro. Mas... Albert Einstein sou eu mesmo...

E ligou para o telefone de sua casa, porque não se lembrava do número da residência, talvez nem mesmo da rua.

De fato, o nome de Einstein não constava na lista telefônica por precaução. É que, nesse tempo, a polícia secreta de Hitler tinha dado ordem de trazer Einstein para a Alemanha, vivo ou morto. Quando Einstein ouviu que o preço de sua cabeça era de 5000 marcos, ficou admirado de que sua cabeça valesse tanto.

Dificilmente se extraviaria ele no Cosmo — mas facilmente em nossa terrinha, onde ele vivia como um estranho.

NEWTON, EINSTEIN, PLANCK

Isaac Newton descreve um cosmo estático, rígido, definido. Para ele, o Universo é uma imensa máquina que funciona com precisão cronométrica. O Universo de Newton é imutável.

Albert Einstein substitui o Universo estável de Newton por um Universo instável. Para Einstein, nada é fixo, tudo é móvel; nada é absoluto, tudo é relativo. Tempo e espaço não são duração e dimensão estáticas, definidas, mas algo dinâmico, indefinido. Tudo está em perpétuo fluxo, efluxo, influxo, refluxo. Mais que nunca se comprovou na Teoria da Relatividade a palavra do filósofo Heráclito de Éfeso, *panta rhei*, tudo flui. Ninguém pode, dizia Heráclito, tomar banho duas vezes no mesmo rio, porque o rio de ontem não é o rio de hoje, e o de hoje não é o de amanhã. O rio não é um estático ser, mas um dinâmico agir, ou devir; podem as suas margens ser fixas, mas suas águas, que são o rio, estão em perpétuo processo de mutação e transição. Esta é a concepção mais exata da Relatividade: tudo flui, nada para.

A velocidade, a que está sujeito um objeto qualquer, modifica a cada momento a dimensão do objeto. A duração do tempo modifica a dimensão do espaço. Um sarrafo de um metro, aqui na terra, se transformaria em um sarrafo de dois metros ou três ou mais, se a terra diminuísse a sua velocidade de rotação diária ao redor do seu eixo e/ou a sua translação anual ao redor do sol. E o mesmo sarrafo de um metro passaria a ser de apenas um centímetro ou menos, se a terra acelerasse a sua rotação e/ou translação.

Além da sua rotação própria e da sua translação solar, o planeta Terra está sujeito a numerosos outros movimentos, que modificam o tamanho de qualquer objeto, como seja o movimento de todo o nosso sistema solar ao redor de outro centro gravitacional; idem, o movimento da nossa galáxia solar e estelar em torno de outra super-galáxia etc.

Sendo que a dimensão de qualquer objeto aumenta ou diminui com a velocidade, segue-se que não há nenhum tamanho estável e definido de objeto algum, uma vez que todos os objetos da terra ou do cosmo estão permanentemente sujeitos a numerosos movimentos. Tudo é relativo — nada é absoluto. É possível que haja um *absoluto estável* para além do alcance da nossa percepção sensorial e concepção mental. Mas esse absoluto estável não é objeto da nossa ciência empírico-analítica, que só pode operar com os relativos instáveis.

Desta verdade estava Einstein convencido desde que, aos 26 anos, escrevera a célebre fórmula da Teoria da Relatividade: $E = mc^2$. Com esta fórmula, reduziu Einstein a grande *máquina* do Universo a um grande *pensamento*, como diz James Jeans. O Universo estável de Newton passara a ser tão instável como um pensamento, que é antes um *processo dinâmico*, do que um *estado estático*.

Entretanto, parece que Einstein nunca incluiu o átomo nesse fluxo instável do cosmo. O cosmo, sim, era instável, relativo, mas o átomo parecia estável e absoluto para Einstein.

Mas já no tempo dele surgiram dúvidas sobre a suposta estabilidade e fixidez do átomo. O grande cientista alemão Max Planck, bem como o corifeu atômico dinamarquês Niels Bohr e outros, equipararam a relatividade do cosmo à do próprio átomo. Para esses cientistas, o átomo não é uma *partícula definida*, mas uma *função indefinida* do cosmo. O átomo não é uma partícula material, mas um processo funcional do Universo. Para Planck e Bohr, o *rígido determinismo* da partícula material se dilui grandemente em um *elástico indeterminismo* do processo funcional do átomo. O determinismo, para eles, é válido para a matéria, mas não para o não material — e o átomo não parecia ser uma partícula material, mas sim uma função imaterial do cosmo.

Planck e Bohr, por meio de longos decênios de experiências de laboratório, provaram que um átomo pode irradiar energia através de 30 ou mais anos, sem nada perder do seu conteúdo. Este processo seria impossível se o átomo fosse uma partícula material, uma vez que a matéria quantitativa perde do seu conteúdo tanto quanto irradia. Mas, se o átomo é um processo funcional no cosmo, não diminui o seu conteúdo na razão direta da sua irradiação, porque o conteúdo do Universo é Infinito, e o Infinito, irradiando finitos, não diminui.

Quando dizemos que o Universo é Infinito, entendemos não só o Universo-efeito (facticidade), mas também o Universo-causa (Realidade). Mas se falamos do Universo-causa, transcendemos as fronteiras da física e invadimos o campo da metafísica, porque a física só conhece o Universo factual, e nada sabe do Universo real.

Aliás, como já lembramos, nos últimos decênios a ciência ultrapassou o campo da simples física e entrou nas regiões da metafísica. A ciência atômica avançou rumo à matemática, metafísica, mística; ultrapassou o Verso e se aproxima do Uno do Universo.

A "Filosofia Univérsica", há tempo, se encontra nesse campo ultra-intelectual e foi invadida pela consciência intuitiva. O ego intelectual só conhece a física — mas o Eu cósmico sabe também da metafísica.

Inúmeras vezes foi Einstein solicitado por pessoas de todas as classes para dar uma síntese compreensiva do que ele entendia por "Relatividade" — e nenhuma vez Einstein explicou a ninguém o que era Relatividade.

O que ele afirma sempre de novo em seus livros e em cartas é que a Relatividade não é objeto de análise intelectual, e sim de intuição cósmica — e sobre intuição ninguém pode falar, sem entrar em conflito consigo mesmo.

Paulo de Tarso diria que a intuição são os *árreta rémata*, os "ditos indizíveis".

Assim como o místico, que sabe o que é Deus, não pode falar de Deus, do mesmo modo o matemático, que sabe o que é Realidade, não pode falar sobre Realidade aos que só pensam e falam em termos de relatividade.

A Realidade é o Absoluto — o Abstrato — e falar só se pode de facticidades relativas concretas. As facticidades relativas *existem* — mas a Relatividade absoluta *é*. O Ser não é objeto dos sentidos empíricos e do intelecto analítico.

A Realidade, quando pensada, é adulterada. Quando falada, é duas vezes adulterada. E, quando escrita, é três vezes adulterada.

Infelizmente, o homem tem de pensar, de falar, e até de escrever — que são males necessários, são *felix culpa*, diria o hino pascal do *Exultet* (exultação).

A verdade genuína não pode ser pensada, falada, escrita — ela é eternamente silenciosa, anônima, amorfa, incolor.

Se Deus não fosse a verdade absoluta não seria ele o Eterno Silencioso, o Anônimo, o Amorfo, o Incolor.

Quanto mais o homem se aproxima de Deus, mais silencioso se torna, mais anônimo, mais amorfo, mais incolor.

Tudo que se pode pensar, que tem nome, forma e cor, pertence ao mundo dos relativos, mas não ao mundo do Absoluto.

Tudo o que é relativo é como um reflexo no espelho bidimensional de tempo e espaço. O Absoluto está fora de tempo e espaço, no Eterno e no Infinito.

O nosso ego-empírico só conhece as facticidades relativas, no espelho ilusório de tempo e espaço — nada sabe da Realidade verdadeira.

O nosso Eu cósmico sabe da Realidade, e a saboreia — mas não a pode pensar nem dizer.

A Realidade é impensável e indizível.

O homem da silenciosa Realidade é o único homem realmente feliz. E, por vezes, é tão grande a sua felicidade que ele resolve pensar, falar, e até escrever, porque toda a plenitude transborda irresistivelmente.

E esse transbordamento da plenitude beneficia os outros — suposto que estes tenham receptividade para receber algumas gotas daquela plenitude.

Esta famosa foto foi tirada em uma festa de aniversário de um sobrinho de Einstein.

NOS RASTROS DE DEMÓCRITO, ARISTÓTELES, HERÁCLITO E ARQUIMEDES

As mais altas conquistas da moderna ciência atômica lembram as avançadas intuições filosóficas dos antigos pensadores gregos, sobretudo de Demócrito, Aristóteles, Heráclito e Arquimedes.

Para Demócrito de Abdera, autor da primeira teoria atômica que a humanidade conhece, o átomo (palavra grega para "indivisível") não é quantidade, mas pura qualidade. Toda a quantidade é divisível, não atômica; indivisível, atômica é somente a pura qualidade. Por isto, Demócrito identifica o átomo com o Infinito.

Hoje em dia, alguns cientistas atômicos consideram o átomo como uma *função qualitativa* do Universo, e não como uma *partícula quantitativa*. Esse conceito do átomo funcional, ou qualitativo, estava contido implicitamente na teoria atômica de Demócrito, o filósofo matemático da Grécia.

Aristóteles de Stageiros (ou Stagira) escreveu que Deus é "ato puro", pura atividade, sem nenhuma passividade. Pura atividade é somente o Infinito, o Absoluto, o Uno — ao passo que todos os finitos, os relativos, o Verso, são um misto de atividade e passividade.

Para a nossa moderna ciência atômica, tanto mais real é algo quanto menos material. A matéria, segundo Einstein, é energia congelada (passivizada). A energia é luz condensada (passivizada). A mais alta realidade, no mundo relativo do Verso, é a luz cósmica, que representa a mais alta atividade, com um mínimo de passividade.

Por isto, os grandes videntes metafísicos e místicos comparam Deus à luz. A luz é o mais perfeito símbolo do Infinito, do Absoluto, do Ato Puro, do Uno. Os corifeus atômicos que afirmam ser o átomo uma atividade ou função do Universo, e não uma partícula material, passiva, entraram na faixa da intuição de Demócrito e Aristóteles.

Heráclito de Éfeso não admite uma realidade estática, mas tão-somente uma realidade dinâmica ativa. Para ele, o Real é o Agir. Mas esse Agir não representa movimento, é uma *en-ergeia*, isto é, atividade interna (*en ergon*). Um acumulador elétrico de alta potência é energia, mas não é movimento. Aristóteles fez a maravilhosa comparação entre a periferia de uma roda em movimento e seu centro; na periferia há muito movimento e pouca força, ao passo que no centro do eixo há somente força sem movimento.

Arquimedes de Siracusa, o exímio filósofo matemático, fez numerosas descobertas de utilidade pública, inclusive a lei da flutuação dos corpos na água. Dizem os pilhéricos que ele descobriu essa lei mecânica quando estava tomando banho em uma piscina da cidade, vendo o seu corpo flutuar na água, quando inalava profundamente, e afundar quando exalava. Descobriu a relação entre o peso e o volume do corpo flutuante e o da água da piscina e correu pelas ruas de Siracusa (talvez nu), bradando: *Héureka*! *Héureka*! Isto é: Achei! Achei!

São conhecidas as palavras enigmáticas de Arquimedes: "Dai-me um ponto fixo no Universo — e eu deslocarei o mundo dos seus eixos!"

A estas palavras subjaz o conceito de que no Universo tudo é relativo e movediço; quem se firma no relativo do Verso não tem poder sobre este; mas, se alguém se firmasse no absoluto do Uno, teria poder sobre todo o Verso. É este o sentido metafísico-místico das palavras de Arquimedes.

Estas palavras são uma paráfrase do *panta rhei* (tudo flui), de Heráclito.

Por sinal que já os grandes pensadores da Antiguidade vislumbraram o Uno do Absoluto e o Verso dos Relativos, preludiando a intuição de Einstein e vislumbrando o alicerce da nossa Filosofia Univérsica.

Einstein tocando violino no navio em que viajava
para os Estados Unidos, 1930.

UMA NOVA CONCEPÇÃO DO UNIVERSO: O ÁTOMO METAFÍSICO

O estudo do espólio científico deixado por Albert Einstein, na Universidade de Princeton, onde o grande matemático faleceu em 1955, está revolucionando o mundo científico. Umas das controvérsias básicas gira em torno da própria concepção tradicional do Universo.

Pela correspondência epistolar de Einstein com alguns dos maiores corifeus da Era Atômica, período que abrange cerca de 30 anos, verificou-se a discussão de duas teses flagrantemente antagônicas uma a outra. Einstein é ferrenho adepto da tese tradicional de que o Universo todo é regido por uma *causalidade absoluta*, que tem como corolário a lei da constância da energia, segundo a qual "nada se crea[1] de novo e nada se aniquila, tudo apenas se transforma".

Segundo esta concepção, não existe na natureza um poder criador; nada existe hoje que não tenha existido ontem e que não continue a existir amanhã. A soma total dos fenômenos que hoje existem sempre existiram e sempre existirão; a soma total dos fenômenos é constante e invariável na sua essência, embora as suas formas existenciais possam passar pelas mais diversas mutações.

A outra tese, apresentada por Max Planck, Niels Bohr e outros, apoiada em recentes experiências científicas, inclina-se para a opinião de que há aumento (e, possivel-

---

[1] Se grafássemos "nada se cria", como prescreve a ortografia oficial, a lei se tornaria radicalmente falsa, porque diariamente se criam coisas novas, mas nada de novo se crea.

mente, diminuição) de energias no Universo; que a soma total dos fenômenos não é constante, mas mutável. Um átomo, por exemplo, pode emitir raios luminosos ou outras formas de radiação, durante milhares de anos, emitindo energias novas que de maneira alguma estavam contidas potencialmente nesse átomo individual, mas que são *criadas* através dele a cada momento. O átomo, ou o núcleo atômico, seria, pois, um *criador* de energia ou radiação não existente antes dele.

Aqui começa a grande bifurcação entre o conceito de uma física *estática* e de uma *metafísica dinâmica*. É matematicamente certo que nenhuma causa pode produzir um efeito maior do que ela mesma. Assim, por exemplo, uma causa equivalente a 100 não pode produzir um efeito igual a 200, uma vez que ninguém dá o que não tem; o 200 não está totalmente contido no 100; o 100 só pode dar 100, e não 200.

Se, como as experiências provam, um átomo (causa) pode emitir radiação energética (efeito) por milhares de anos, equivalente a algo incomparavelmente superior ao potencial do átomo, então esse átomo não pode ser considerado como a causa física e estática do referido efeito. Esse átomo deve ser considerado como uma manifestação de algo não físico e não estático.

A supracitada lei da causalidade mecânica e da constância das energias é uma lei física, derivada de experiências empíricas de laboratório e, como tal, tem validade. Mas não tem validade em se tratando de algo não físico, não material. Algo ultra-físico (ou metafísico) não está enquadrado nessa lei, derivada da física.

O verdadeiro átomo, o átomo indivisível (ou atômico) não é algo físico, material. Séculos antes da era cristã, o grande pensador helênico Demócrito de Abdera concebeu um átomo realmente atômico ou indivisível, que não tinha caráter *físico*, *quantitativo*, mas era de dimensão *metafísica*, *qualitativa*, como sendo a base da quintessência do Universo.

O átomo de Demócrito era de ilimitada potência creadora, e podia ser a causa de efeitos sem limitação. Quer dizer que esse átomo era antes um canal ou uma manifestação de uma Realidade ou Fonte invisível.

Quando o grande cientista britânico James Jeans escreveu que o nosso Universo de hoje se parece antes com um grande pensamento que com uma grande máquina, aludia ele a essa base metafísica do Universo. O pensamento, ou seja, a *Mente*, o Lógos, possui uma creatividade ilimitada; não obedece à lei de Lavoisier: "Nada se crea, nada se aniquila". A Mente, no sentido de Lógos (Razão) de potência creadora ilimitada, não é uma causa estática, mas um fator dinâmico; não se esgota com determinado número ou grau de efeitos produzidos mas, por mais que produza, não se exaure e pode produzir sempre novos efeitos. A Mente, Fonte do Pensamento, nada tem a ver com uma quantidade física, mas é uma qualidade metafísica. É representada antes pelo Uno do que pelo Verso do Universo.

Os que estranham que algo no Universo possa não ser causado, entendem por "Universo" apenas o "Verso", o aspecto finito, e ignoram o "Uno" que, evidentemente, não é causado, mas causante. Daí, essa pergunta que sempre aparece de novo nos jornais e nas revistas: o Universo é finito ou infinito? Nós, da Filosofia Univérsica, tomamos a sério a palavra "Universo", como causa e efeito, como finito e Infinito.

Chegamos, assim, à conclusão estranha de que o chamado átomo é antes uma realidade *metafísico-racional* do que uma facticidade *físico-material*, e que a visão genial de Demócrito não era uma utopia, mas algo altamente real. As nossas experiências atômicas, tendo por base um átomo divisível (não atômico), é que são pseudo-realistas.

A Realidade não é material nem divisível, porém mental e indivisível, como já dizia o grande Thot do Egito, o Hermes Trismegistos dos gregos, vinte séculos antes de Cristo, e como repetiu o autor do 4º Evangelho no início do 1º século da Era Cristã, atribuindo toda creação ao Lógos ou à Mente.

Por Mente, ou Mental, não se entende uma mentalidade humana, mas sim a suprema Mente ou Mentalidade Cósmica, simbolizada pelo Uno da palavra Universo. A Mente é o Lógos.

Parece que, no ocaso do ano 2000 depois de Cristo, se está fechando a grande curva que se abriu dois mil anos antes de Cristo, e cuja primeira metade incide na linha divisória desses quatro mil anos.

O fio de ouro que atravessa esses quarenta séculos de pensamento se chama Mente Cósmica, no sentido superior de Lógos.

"A base do Universo é a Mente" — como afirma o primeiro princípio hermético de Thot, o grande metafísico africano.

"No princípio era o Lógos (Mente), por ele foram feitas todas as coisas" — repete o Evangelho do grande místico asiano.

A causa de todos os fenômenos é a Mente ou o Lógos Cósmico, o Uno Creador do Verso Creado.

Tomando por ponto de partida a ideologia da nossa Filosofia Univérsica, poríamos a controvérsia nos seguintes termos: Sendo o Universo "Uno" em sua causa metafísica, e "Verso" nos seus efeitos físicos, segue-se que o Uno metafísico-dinâmico pode produzir sempre novos aspectos do Verso físico-estático. O Uno, sendo infinita qualidade, pode produzir sempre novos Versos de quantidades finitas, porquanto a qualidade não se esgota nem diminui pela emissão de quantidades, porque a qualidade está em uma outra dimensão não atingível pelas quantidades.

O verdadeiro átomo, o Átomo Metafísico, descrito por Demócrito, está sendo redescoberto e focalizado por cientistas da Era Atômica, e qualificado como algo que pode emitir efeitos físico-estáticos sem limitação.

O mundo Cosmo-mental é a base do mundo material.

A antiga concepção físico-material do Cosmo está passando para uma concepção metafísico-mental.

O verdadeiro átomo está justificando o seu nome como sendo atômico ou indivisível.

O indivisível é o indivíduo, cujo centro e cerne é a Mente (o Lógos), da qual irradiam todas as coisas do mundo material.

SEGUNDA PARTE

PENSAMENTOS DE EINSTEIN CONFRONTADOS COM O ESPÍRITO DA FILOSOFIA UNIVÉRSICA

Quadro-negro usado por Einstein quando lecionava na Universidade de Nottingham, 6 de junho de 1930.

EINSTEIN E A FILOSOFIA UNIVÉRSICA

Mostraremos, nesta segunda parte, o supreendente paralelo que vigora entre o espírito da Matemática de Einstein e o caráter da Filosofia Univérsica que, nestes últimos decênios, está empolgando vastos setores da intelectualidade brasileira.

Einstein, como sabemos, faz derivar da luz cósmica os 92 elementos da química e seus compostos. Podemos dizer que, segundo a ciência moderna, todas as coisas deste mundo são lucigênitas e, por isto mesmo, também lucificáveis. Todos os elementos representam, por assim dizer, o Verso, ao passo que a luz é o grande Uno, alma deste Universo. A luz é a causa única, os elementos são os efeitos múltiplos.

É este, sem dúvida, o mais estupendo Monismo Cósmico do Universo.

É este o triunfo máximo da unidade na diversidade.

O cosmo é, de fato, o que os gregos insinuavam com a palavra *kosmos*, cujo radical significa beleza.

O cosmo é também o que os romanos designavam com o termo *mundus*, que quer dizer puro.

Beleza e pureza são os atributos fundamentais do cosmo, porque ele é Universo, unidade na diversidade, isto é, harmonia.

Para o homem primitivo, guiado somente pelos sentidos, é o mundo apenas Verso, diversidade, sem nenhuma unidade.

Para o homem intelectualizado é o mundo uma imensa variedade de coisas com alguma unidade.

Mas para o homem intuitivo é o mundo a mais perfeita unidade na mais vasta pluralidade, a unidade da causa na multiplicidade dos efeitos. Um perfeito UniVerso.

Ora, o que no mundo atômico e astronômico é a luz, o Uno é, no mundo hominal, o Eu central do homem circundado pelos seus Egos periféricos.

Luz, Uno, Eu — é este o grandioso Monismo do mundo atômico, sideral e hominal, a harmonia univérsica no macrocosmo e no microcosmo.

Hoje em dia não se pode mais lecionar filosofia baseada em escolas ou pessoas — hoje, o único alicerce válido para o pensamento e a vida do homem é a natureza e constituição do cosmo, do Universo, na intensidade do seu UNO central e na extensidade do seu VERSO periférico.

Citaremos palavras de Einstein, mostrando o paralelo que há entre a matemática dele e a nossa Metafísica ou Filosofia Univérsica.

Além dos dois livros da autoria de Einstein, *Mein Weltbild* (Como vejo o mundo) e *Aus Meinen Späeten Jahren* (Dos meus últimos anos), consultamos as obras:

— Gordon H. Gorbedian: *Einstein, Maker of Universes* (Einstein, Construtor dos Universos);

— Lincoln Barnett: O Universo de Einstein;

— P. Michelmore: *Albert Einstein, Genie des Jahrhunderts* (Albert Einstein, gênio do século);

— Ronald W. Clark: Einstein, the *Life and Times* (Einstein, sua vida e sua época).

"TENHO COMO VERDADE QUE O PURO RACIOCÍNIO PODE ATINGIR A REALIDADE SEGUNDO O SONHO DOS ANTIGOS"

Einstein, como já dissemos, entende por "raciocínio puro" a intuição, que ele identifica com a imaginação ou a dedução, em oposição à indução.

Toda a ferramenta de Einstein eram pena e papel. O pensamento intuitivo, ou o puro raciocínio, funciona por si mesmo.

Mas, diz Einstein, ao feliz evento da descoberta de leis por intuição, precederam anos de torturante tatear nas trevas, ansiedades sem fim, alternativas de esperanças e desânimos — e, por fim, surgiu a luz. Isto só pode compreender quem experimentou. "Tento 99 vezes, e só na 100ª vez acerto." Mas esta 100ª vez não é analítico-indutiva, é intuitivo-dedutiva.

Uma vez, quando ainda em Zurique, como já lembramos, Einstein desapareceu por dois dias, e só no terceiro dia reapareceu, faminto, desfigurado, e sua roupa mostrava que tinha dormido no mato.

Mais tarde, em Berlim e em Princeton, Einstein, às vezes, se fechava no seu quarto, com severa proibição de o chamarem, fosse para que fosse.

Os gênios, quando se acham no fim de uma gestação mental, e em véspera de alguma parturição intuitiva, se desligam imperiosamente de todas as circunstâncias, isolando-se em completa solidão, onde esperam dar à luz a sua prole. Os inexperientes consideram esses homens como anormais, esquisitos, e até egoístas malcriados, quando, na realidade, são precisamente o contrário, são cosmo-pensados, cosmo-agidos, empolgados por sua substância central, que flui através dos canais periféricos das circunstâncias, suposto que os canais se achem devidamente abertos pelo silêncio e pela solidão.

Einstein recorria frequentemente à música — piano ou violino — talvez para lançar uma ponte sobre o abismo entre a concentração mental e a intuição cósmica. Matemática, Metafísica, Mística são, no fundo, a mesma coisa — e parece que estes 3MMM necessitam do quarto M da Música, não da música moderna, dispersiva, mas de certas músicas profundamente concentrativas. Einstein preferia Bach, Mozart, Beethoven.

O silêncio é uma espécie de música cósmica que, em muitos casos, substitui a música audível. Aliás, os grandes gênios musicais, como Beethoven, ouviam nitidamente a música cósmica, antes de a materializarem no papel e em vibrações aéreas. Parece que entre a música cósmica e a música aérea vigora a mesma relação que existe entre as ondas eletrônicas que uma estação emissora lança no espaço e as ondas aéreas que o receptor de rádio oferece ao nosso ouvido.

Einstein afirma que não existe nenhum experimento empírico nem uma análise meramente mental capaz de descobrir as leis fundamentais do cosmo, mas que essas nos são reveladas pela intuição, que ele também chama imaginação ou dedução. Acha que a faculdade intuitiva só funciona depois de esgotarmos todos os recursos da análise indutiva, a qual é necessária como preliminar, mas não suficiente como definitiva. Parece justificar assim as conhecidas expressões:

Quando o discípulo está pronto, então o mestre aparece.

Quem faz o que pode receberá a graça de Deus.

Ajuda-te, que Deus te ajudará.

O homem é salvo pela graça por meio da fé.

Certos profanos acham que basta ser ego-pensante, e nunca se tornam cosmo-pensados; e por isto não saem da mediocridade da rotina horizontal do talento, ignorando os mistérios cósmicos do gênio e do místico.

Outros, unilateralmente místicos, confiam na providência de Deus, mas nada fazem no plano das previdências humanas.

O homem cósmico porém — seja matemático, metafísico ou místico — opera 100% com as suas previdências ego-conscientes — e depois se entrega à providência cosmo-consciente. E assim, a prole, cosmicamente concebida e mentalmente gestada e elaborada, é dada à luz, e o seu nascimento, embora menos perfeito do que a sua concepção, revela muita beleza cósmica; concebida em alegria, gestada em labores e dada à luz em um misto de dores e delícias... É esta a estranha odisseia dos grandes gênios, que uns admiram e outros ridicularizam...

A análise indutiva é necessária como *condição* — não é suficiente como *causa*.

Quem quer luz solar em seu quarto deve abrir uma janela; essa abertura de janela é uma condição necessária, mas somente o sol é a causa suficiente para a iluminação da sala. A condição externa é necessária para que a causa interna possa funcionar.

Análise mental é condição necessária para que a intuição cósmica funcione como causa.

Para que o cosmo possa fazer a sua parte, eu devo fazer a minha parte — tudo funciona em permanente bipolaridade.

Não há nenhum caminho que do mundo dos fatos conduza ao mundo da Realidade, como causa, rumo a seus efeitos — mas do mundo dos fatos empíricos analíticos pode e deve ser aberto um caminho que, quando pronto, convide o conteúdo da Realidade Cósmica a fluir através desse canal aberto. O canal vai de cá para lá, mas as águas da fonte fluem de lá para cá. *Facienti quod in se est Deus nos denegat gratiam* — esta máxima da teologia medieval corresponde exatamente ao provérbio da filosofia oriental:

"Quando o discípulo está pronto, então o mestre aparece". E isto é aplicável tanto à matemática, como à metafísica e à mística. Que são, aliás, esses três MMM, senão a harmonia entre o meu pensamento e a Realidade, harmonia que também se chama Verdade ou Lógica?

A matemática não é uma ciência *a posteriori*, como a física, mas sim uma sapiência *a priori*. As induções empírico-analíticas são processos *a posteriori* — mas a dedução intuitiva é a *priori*.

Por mais estranho que pareça, da parte de um cientista, que não tratava profissionalmente da metafísica e da mística, Einstein afirma categoricamente que a intuição ou dedução apriorística é o único caminho seguro para descobrir as leis fundamentais do cosmo. A Realidade do raciocínio rigorosamente lógico é um caminho infalível para descobrir as Facticidades do mundo concreto. Não há um caminho de Facticidades para a Realidade — mas há um caminho desta para aquelas. Se os homens soubessem raciocinar logicamente descobririam pela *sapiência intuitiva* o que os adeptos da *ciência analítica* não descobrem; as águas, que os canais não podem fornecer, são dadas pela fonte, e os canais recebem essas águas *a posteriori*, porque já existem *a priori* na fonte.

Todo o processo empírico-analítico é uma engenharia de construção de canais, é um processo *factivo* — ao passo que o processo intuitivo é um influxo do conteúdo da fonte, um processo *receptivo*, um movimento da Realidade cósmica para dentro da Facticidade humana.

Quem se torna receptivo recebe.

O recebido está no recipiente segundo o modo do recipiente.

O recipiente não *causa* o recebido, mas *condiciona* o recebimento do recebido. A Realidade Cósmica é infinita — mas a facticidade humana recebe algo dessa Realidade de acordo e proporcionalmente à capacidade e ao modo peculiar do recipiente.

A tarefa humana é, pois, uma tarefa e um problema de capacidade e de modalidade receptiva.

Quem vai colher água do oceano colhe dessa água o volume correspondente à capacidade do recipiente. E, se o recipiente for redondo ou quadrado, a água recebida aparecerá em forma redonda ou quadrada, embora a água em si não tenha forma alguma. Se, além disso, o recipiente transparente tiver cor vermelha, azul ou verde, a água incolor do oceano aparecerá como sendo vermelha, azul ou verde.

Nenhum Finito vê a Realidade Infinita tal qual ela é, mas sim como ele, o Finito, é. A Infinita Realidade aparece finitamente em qualquer Finito.

A minha finitude dá forma e cor ao infinito, que é sem forma e sem cor. Eu não percebo a Infinita Realidade assim como é ela — mas assim como sou eu.

Einstein em seu escritório, Princeton.

OS PARADOXOS GENIAIS DA MATEMÁTICA E DA MÍSTICA

Na sua obra *Livros que revolucionaram o mundo*, diz Robert Downs:

"Einstein nos convida a aceitarmos:

— que o espaço é curvo;

— que a menor distância entre dois pontos não é a linha reta;

— que o Universo é finito, mas ilimitado;

— que o tempo é relativo e não pode ser medido exatamente do mesmo modo e por toda a parte;

— que as medidas de tamanho variam com a velocidade;

— que o Universo tem forma cilíndrica, e não esférica;

— que um corpo em movimento diminui de volume, mas aumenta de massa;

— que uma quarta dimensão, o tempo, é acrescentada às três dimensões conhecidas de comprimento, largura e espessura".

À luz da ciência analítica, essas informações são incompreensíveis, mas à luz da matemática intuitiva elas são geniais.

Paradoxo, em grego, e absurdo, em latim, querem dizer ultra-mental, como são todas as grandes verdades. O que não é paradoxal não é integralmente verdadeiro.

Os 81 aforismos do livro *Tao Te King*, de Lao-tsé, primam por uma estupenda absurdidade.

O filósofo inglês Bertrand Russell diz: "Todos sabem que Einstein descobriu algo de assombroso, mas poucos sabem realmente o que ele fez".

O cientista George W. Gray escreve: "Uma vez que a Teoria da Relatividade é apresentada por seu autor em linguagem matemática e, a rigor, não pode ser apresentada em nenhuma outra, há certa presunção em qualquer tentativa de traduzi-la em vernáculo. Seria o mesmo que interpretar a Quinta Sinfonia de Beethoven em saxofone".

O próprio Einstein nunca explicou a Teoria da Relatividade. O que é explicável não é integralmente verdadeiro. O talento explica, implica e complica, mas o gênio sabe intuitivamente o inexplicável.

Uma intuição matemática não pode ser analisada pela ciência. A Realidade não é explicável pelas facticidades.

* * *

O mesmo acontece na mística, que é essencialmente idêntica à matemática; ambas são a consciência da Realidade.

Os Mestres da mística exigem:

— que o homem morra voluntariamente a fim de viver gloriosamente;

— que perca tudo para possuir tudo;

— que se esvazie para ser plenificado;

— que renuncie ao *ter* a fim de *ser*.

Tudo isso é incompreensível — por ser genialmente verdadeiro.

A razão dessa absurdidade genial é óbvia para quem compreende a infinita distância que há entre a intuição cósmica do gênio e a análise mental do talento.

Há escritores eruditos que pretendem submeter as experiências místicas a uma análise científica — para saber se elas são verdadeiras. De modo análogo, poderia alguém perguntar quantos metros tem a verdade, qual o seu peso, qual a sua forma e sua cor.

O talento é uma expressão do nosso ego humano, mas o gênio é uma invasão da alma do Universo no homem.

A matemática e a mística, repetimos, são a consciência da Realidade, ao passo que a física é apenas a ciência das facticidades.

Einstein sempre declarava que suas grandes descobertas não foram feitas analiticamente; e afirmava categoricamente que nenhuma lei fundamental do cosmo pode ser descoberta a não ser pela intuição. Neste mesmo sentido afirmava ele que do mundo dos fatos não conduz nenhum caminho para o mundo dos valores, porque os valores vêm de outra região.

Certos pensadores analíticos, sobretudo da ala dos existencialistas, declaram que "valor é uma construção mental humana". Para Einstein porém, valor é uma captação cósmica, é a própria Realidade captada ou conscientizada pelo homem. Esta captação cósmica é intuição, inspiração, revelação. O homem não fabrica os valores, mas recebe-os por captação intuitiva — suposto, naturalmente, que tenha canais abertos para a invasão dos valores cósmicos.

É precisamente este o processo da verdadeira mística: o homem oferece à plenitude da Fonte Cósmica a vacuidade receptiva dos seus canais. Os valores são emanações da alma do Universo.

Neste sentido, afirma Einstein de si mesmo que é um homem profundamente "religioso", embora não professasse nenhuma espécie de credo cristão ou judaico. Religiosidade é, para ele, essa captação da Realidade Cósmica, dessa Alma do Universo, que Spinoza chama Deus.

Com Einstein e outros pensadores geniais a física atingiu a metafísica. É o declínio do ateísmo da ciência, que caracterizava o século XIX. Se dos fatos não há nenhum caminho que conduza para o mundo dos valores, vice-versa, do mundo dos valores há um caminho que conduz para o mundo dos fatos. Seria ridículo querer construir uma vasta rede de encanamentos com o fim de produzir água — mas uma fonte já existente pode plenificar a vacuidade dos canais. A fonte não é a soma total dos canais — assim como a análise dos fatos não dá a captação do valor. Os fatos são descobrimento da ciência — os valores são creações da consciência.

A mística é comparável a uma concepção, que se manifesta espontaneamente na parturição da ética. Mas como a concepção cósmica da mística é infinitamente maior que a parturição da ética humana, por isso nenhum verdadeiro místico se orgulha jamais da sua prole ética, e está sempre disposto a pedir desculpas à humanidade pelo fato de ter dado à luz uma prole tão medíocre, depois de uma concepção tão grandiosa. O simples moralista, esse sim, pode orgulhar-se da sua moralidade, do seu altruísmo, porque não conheceu nenhuma concepção mística, oriunda da alma do Universo. A moralidade é fabricação humana — a ética é uma invasão cósmica da mística.

Somente uma plenitude mística transbordante em ética pode prometer melhores dias à humanidade.

A MATEMÁTICA DE EINSTEIN E A MÍSTICA DE GANDHI

"Futuras gerações dificilmente acreditarão que um homem como Gandhi tenha passado pela face da terra, em carne e osso."

Estas palavras escreveu Einstein sobre Mahatma Gandhi; e o governo da Índia teve a feliz ideia de reproduzir esta declaração no frontispício do magnífico álbum comemorativo do primeiro centenário do nascimento do libertador da Índia.

Em que se baseava esta entusiástica admiração que o maior matemático dos séculos dedicava ao maior místico dos nossos tempos?

Baseava-se na convicção, implícita ou explícita, de que o princípio da matemática é o mesmo princípio creador da mística.

Afirmar semelhante verdade perante inexperientes é merecer o título de louco ou utópico. E, no entanto, Einstein e Gandhi partiam do mesmo princípio matemático-metafísico. Ambos afirmam que pelo "puro raciocínio", como Einstein chama a intuição, pode o homem descobrir toda e qualquer lei do cosmo; sem nenhum recurso à empiria dos sentidos nem à análise mental.

E que outra coisa é o *satyagraha* de Gandhi? Durante mais de meio século viveu ele aferrado ao princípio da Verdade, que identifica com Deus, a despeito de todo o ceticismo de seus conterrâneos; manteve-se inabalavelmente fiel ao "apego à Verdade" (*satyagraha*). Acreditava mais na força do espírito que no espírito da força; mais na alma que nas armas. E por isto fez preceder o *satyagraha* pelo *ahimsa* (não violência). Exigia de si e de seus companheiros absoluta e incondicional desistência de qualquer forma de violência, *ahimsa* integral — abandono de violência física (matança e ferimento), de violência verbal (insultos), de violência mental-emocional (ódio). Onde há violência não há Verdade e, como a Verdade é o único poder real, Gandhi exigia 0% de violência, a fim de conseguir 100% de Verdade.

Com esta arma secreta libertou ele o seu país de 150 anos de jugo estrangeiro. Talvez pela primeira e única vez na história da humanidade, um fator puramente espiritual produziu tamanho efeito material. Os profanos sabem que causa material produz efeito material. Os místicos sabem que causa espiritual produz efeito espiritual — mas quem está convencido de que uma causa espiritual produz efeito material?...

Que o grande místico, lá na longínqua Índia dos iogues, tenha professado esse princípio creador da intuição metafísica-mística, o mundo perdoará facilmente a um visionário oriental como Mahatma Gandhi — mas que esse mesmo princípio abstrato seja proclamado por um cientista ocidental como Albert Einstein — quem poderia aceitar?

Tenho diante de mim três livros, dois deles da autoria do próprio Einstein, e alguns escritos sobre o grande matemático. Os dois livros de Einstein são *Mein Weltbild* (Como vejo o mundo) e *Aus Meinen Späeten Jahren* (Dos meus últimos anos).

Ora, através destes livros vai a constante afirmação de Einstein de que o "puro raciocínio", como ele chama a intuição abstrata, pode descobrir qualquer lei da natureza, sem nenhum recurso a processos empírico-analíticos, nem de laboratório. Basta que o homem se concentre intensamente até atingir e ultrapassar toda a zona da sucessividade analítica e entrar na zona da simultaneidade intuitiva da razão espiritual, e saberá como o UNO do UNIVERSO rege e governa o VERSO do cosmo.

É este o princípio *dedutivo* da matemática, e não o princípio *indutivo* da física; é o caminho *a priori* dos grandes metafísicos e místicos, e não o processo *a posteriori* dos cientistas empírico-analíticos.

Quando, em 29 de maio de 1919, ocorreu o grande eclipse solar, estava Einstein em Londres; a Real Sociedade de Ciências da Inglaterra mandou fotografar o sol totalmente eclipsado; um amigo de Einstein mostrou, triunfante, a fotografia, dando os parabéns ao grande matemático, porque o fato comprovava magnificamente uma importante tese matemática de Einstein. Este, porém, ficou indiferente, observando apenas: "Como se alguma vez tivesse havido dúvida sobre isto"... Quem conhece dedutiva e intuitivamente, *a priori*, uma lei cósmica, não necessita de provas empíricas, indutivas, *a posteriori*, provas que não lhe podem dar nem tirar a certeza.

O metafísico e o místico não aceitam a Realidade (Deus) porque alguém a tenha demonstrado "cientificamente" — mas aceitam-na anterior e independentemente de qualquer prova ou demonstração, porque têm a fonte de certeza dentro de si mesmo, no seu centro e cerne, no eterno UNO do seu Eu intuitivo. E, como nenhuma prova factual (e fictícia) lhes pode dar certeza, também nenhuma prova lhes pode tirar.

Eu penso 99 vezes, diz Einstein, e nada descubro; deixo de pensar e eis que a certeza me é revelada. Por onde se vê que ele considera o pensamento analítico necessário como preliminar, mas não suficiente para o resultado final.

É este o caminho de todos os metafísicos e místicos — desde Hermes, Sócrates, Platão e Spinoza, até Jesus, Tagore, Maharishi e Gandhi — todos eles sabiam e sabem que a atividade ego-consciente, empírico-analítica, é necessária, mas que não é suficiente para uma certeza definitiva.

É necessário entrar em contato intuitivo com o UNO da Realidade, a fim de poder compreender o VERSO das facticidades. Não há nenhum caminho diz Einstein, que do mundo dos fatos conduza ao mundo dos valores, porque estes vêm de outra região.

Valor é sinônimo de Realidade. Ninguém vai das facticidades à Realidade; é necessário que primeiro conscientize a Realidade do UNO, para daí descer às facticidades do Verso. É necessário ter experiência intuitiva, direta, da *qualidade* (Uno) a fim de compreender as *quantidades* (Verso). As facticidades quantitativas são necessárias como *condições predisponentes*, mas não são suficientes como *causa eficiente*. E, sendo que só o contato com a causa eficiente dá verdadeira certeza, segue-se que o homem deve, em primeiro lugar, ter nítida consciência da causa, da Realidade, do Uno, para poder compreender os efeitos, as facticidades, o Verso — só assim sabe e saboreia a harmonia do Universo.

Pode a *ciência* preludiar a *sapiência*, mas não a pode dar nem substituir.

A ciência é da física, a sapiência é da matemática, bem como da metafísica e da mística.

O homem inexperiente, empírico-analítico, acha que deve começar pelos fenômenos objetivos, externos, e daí subir até a Realidade, causa dessas facticidades. Mas o homem experiente sabe, como Einstein, que este caminho não é transitável e não passa de um eterno círculo vicioso; é como se alguém lidasse com muitos zeros — 000 000 000 — para daí chegar ao valor positivo "1"; não existe nenhum processo de adição ou multiplicação de zeros para crear o "1"; mas quem parte do "1" pode descer aos zeros, e verá que esses zeros deixam de ser nulidades e vacuidades, porque são agora desnulificados pelo fator positivo "1": 1.000.000.000. Todas estas vacuidades dos zeros são plenificadas pela plenitude; a qualidade do "1" confere quantidade aos "000"; a Essência dá conteúdo à inexistência, e resulta a existência; o *Todo* dá algo de si ao *Nada*, e o Nada se faz *Algo*.

Quando Moisés, Elias e Jesus passaram quarenta dias em silêncio e solidão; quando Francisco de Assis se isolou por meses seguidos no cume do monte Alverne; quando Paulo de Tarso, após a queda às portas de Damasco, mergulhou por três anos nas estepes da Arábia; quando Tagore, Maharishi e Gandhi se envolveram em profunda solidão — que outra coisa fizeram eles senão fechar os canais de fora para que a fonte de dentro rompesse?

Quando Einstein, partindo de um princípio puramente matemático, diz que pelo "puro raciocínio" pode o homem descobrir as Leis do Universo, afirma ele a mesma verdade, mas não nos diz, geralmente, o que devemos fazer para despertar em nós a fonte da certeza.

Para esse despertamento é necessário que o homem se entregue a um longo período de silêncio auscultativo — silêncio mortífero para o ego-empírico-analítico, mas vivificante para o Eu metafísico-místico-matemático.

Parece que a elite da humanidade, neste ocaso do segundo milênio, está abrindo os olhos para esta grande verdade, preludiando, possivelmente, uma humanidade mais sadia e mais feliz.

Einstein: Doutor *Honoris Causa* pela
Universidade de Manchester.

A IDENTIDADE ESSENCIAL ENTRE MATEMÁTICA E MÍSTICA

Repetidas vezes afirma Einstein que as leis fundamentais do cosmo não podem ser descobertas pela simples *análise*, mas tão-somente pela *intuição*. Afirma, outrossim, que na matemática reside o princípio creador, e que a matemática é absolutamente certa enquanto se mantém no abstrato, mas que perde da sua certeza na razão direta da sua concretização.

O que Einstein diz da matemática pode ser aplicado também à mística, porque tanto esta como aquela são uma *captação cósmica*, e não uma *construção mental*.

Aqui está a bifurcação das duas linhas fundamentais da filosofia de todos os tempos: essência — existência. Platão, os neo-platônicos e muitos outros admitem uma essência além das existências, uma realidade una como fonte das facticidades múltiplas, ao passo que outros, sobretudo da ala existencialista, negam o Uno do Universo e só aceitam o Verso.

Einstein afirma categoricamente que está com os antigos, segundo os quais a verdade é descoberta pela intuição, precedida pela análise.

Esta intuição, porém, é uma captação cósmica. O radical da palavra grega "mathemática" é *mathein*, que quer dizer captar, apreender, apanhar. A captação é *mathéma* (ou *mathésis*), de que deriva a nossa palavra matemática, designando não uma construção mental mas uma captação de uma realidade já existente.

O que Einstein diz da matemática pode ser dito quase integralmente da mística, que é a captação de uma realidade cósmica, da alma do Universo, diria Spinoza. O verdadeiro místico tem absoluta certeza de que a Divindade por ele intuída não é fabricação mental dele. Ambas, a matemática e a mística, giram em torno de uma realidade captada ou apreendida pelo homem. Os derivados da matemática, como aritmética, álgebra, geometria etc., podem ser construções mentais, mas a matemática em si conscientiza a própria essência do cosmo, razão da sua certeza absoluta. Einstein nunca admitiu que a certeza viesse das provas, mas sim que era anterior a qualquer prova. A intuição (visão interna), inspiração (sopro de dentro, revelação, retirada do véu) dão certeza, ao passo que a análise não ultrapassa as probabilidades, porque joga com facticidades derivadas.

Nenhum místico crê em Deus — ele vê Deus mediante uma intuição ou uma visão interna; e, como a certeza que um místico tem não foi construída mentalmente, também não pode ser destruída por nenhuma análise mental. A mística é a consciência da própria realidade — e nisto coincide ela com a visão da matemática. A realidade cósmica se revela em facticidades telúricas — assim como a mística transborda em ética humana.

Neste sentido, afirma Einstein de si mesmo, é ele um homem profundamente "religioso", e frisa que só neste sentido cósmico é ele religioso, por ter a experiência da realidade. Desta consciência mística derivava a vivência ética que todos admiravam em Einstein.

O processo da captação se manifesta de modos diversos na matemática e na mística, mas indica sempre uma fonte única que se revela em canais múltiplos. Segundo princípios infalíveis, onde há uma vacuidade acontece uma plenitude. O problema do homem consiste em estabelecer em si essa vacuidade na expectativa da plenitude.

Os gênios têm facilidade nesse processo de ego-esvaziamento, ao passo que os talentos operam somente com o conteúdo dos seus canais humanos.

A atividade do ego humano precede quase sempre a captação da fonte cósmica. Einstein diz de si que pensa 99 vezes, e só depois de deixar de pensar e mergulhar em um grande silêncio, é que a verdade lhe é revelada. O exímio inventor norte-americano Thomas Edison diz que necessita 90% de esforço pessoal (*perspiration*), a fim de receber 10% de intuição cósmica (*inspiration*).

O talento é produtivo — o gênio é creativo.

O conteúdo da captação do matemático e do místico é essencialmente o mesmo, que uns chamam a verdade, ou a alma do Universo. A essência, fonte, realidade, é uma só — muitas são as existências, os canais, as facticidades.

Infelizmente nos tempos atuais, muitos confundem a inteligência analítica com a razão intuitiva. Mas já os antigos pensadores da Grécia faziam nítida distinção entre o intelecto (*noûs*) e razão (*lógos*). Neste sentido escreve Albert Schweitzer: "O amor é a mais alta razão" (*Die Liebe ist die höchste Vernunft*).

No tempo em que eu convivia com Einstein na Universidade de Princeton, espalhou certa imprensa o boato de que Einstein era ateu, ao que um rabino da Sinagoga de Nova York lhe mandou um telegrama, pedindo que dissesse se aceitava Deus. Einstein respondeu por telegrama: "Aceito o mesmo Deus que Spinoza chama a alma do Universo — não aceito um Deus que se preocupe com as nossas necessidades pessoais".

Muitos dos grandes místicos são considerados ateus pelos teólogos dogmáticos porque não aceitam um Deus pessoal. A alma do Universo é o Deus dos matemáticos e o Deus dos místicos.

Aos 75 anos Einstein consegue encontrar em Princeton a simplicidade de vida com que sempre sonhara.

DA REALIDADE DO UNO DERIVAM AS FACTICIDADES DO VERSO

Einstein afirma, como já citamos, que "o puro raciocínio pode atingir a Realidade", sem necessitar da empiria sensorial nem da análise intelectual.

Já dissemos o que Einstein entende por "puro raciocínio". Raciocínio deriva de *ratio* (razão), *lógos*. A razão, o *lógos*, está em contato direto com a Realidade do Uno, com a alma do Universo. E Einstein toma o "puro raciocínio" neste sentido, de intuição direta e imediata.

Podem, certamente, os sentidos e o intelecto *condicionar* o contato direto com a Realidade, mas não o podem *causar*.

O contato intuitivo com a Realidade não depende *causalmente* das facticidades externas, empírico-analíticas. Estas podem apenas *condicionar*, facilitar, e mesmo dificultar a intuição racional.

Com estas palavras nega Einstein a teoria dos materialistas e dos intelectuais de que o nosso conhecimento real venha dos objetos externos, canalizados através dos sentidos, e depois modificado pelo objeto interno do intelecto; nega que, pela empiria dos sentidos e pela análise do intelecto, possa o homem atingir a Realidade. Com outras palavras, Einstein admite que tudo que gira no plano das facticidades empírico-analíticas está em uma dimensão meramente *quantitativa*, sujeita às categorias ilusórias de tempo, espaço e causalidade, e que deste mundo de facticidades quantitativas não há nenhum caminho causal para o mundo da Realidade *qualitativa*. Somando ou multiplicando quantidades e mais quantidades, nunca teremos qualidades; somando ou multiplicando zeros $000+000\times000 = 0$, nunca chegaremos a ter o valor positivo do "1". Horizontal mais horizontal não dá vertical. Factual mais factual não dá Real.

Os sentidos e o intelecto podem apenas funcionar como condições externas do conhecimento, são mesmo necessários como condições preliminares — mas nunca poderão ser causa interna do conhecimento da Realidade; a causa suficiente é a intuição, ao passo que as condições necessárias são os sentidos e o intelecto.

Abrir uma janela é uma condição necessária para que a luz solar ilumine uma sala, mas essa necessidade é apenas uma condição e não a causa suficiente da iluminação solar. A causa suficiente está presente e existe lá fora, mas a condição necessária faz com que a causa suficiente também funcione no interior da sala, iluminando-a.

Quem confunde condição com causa está fora da lógica, fora da verdade, fora da matemática.

A matemática, a metafísica, a mística, não tratam diretamente de nenhuma facticidade quantitativa, mas tão-somente da Realidade qualitativa, que é o valor.

A Realidade única pode ser aplicada a facticidades múltiplas, e sempre dá certo; assim como a metafísica pode ser aplicada à física, e dá certo; e ainda a mística pode ser aplicada à ética, e dá certo; do mesmo modo como a matemática abstrata pode ser aplicada a qualquer coisa concreta, e sempre dá certo.

Mas o processo inverso não dá certo.

Abstrato > concreto
Realidade > facticidade
Matemática > aritmética
Metafísica > física
Mística > ética
Causa > efeito
Essência > existência

Em suma: do maior, do abstrato, do universal, sempre há caminho aberto para o menor, o concreto, o individual; mas não vice-versa.

Geometricamente, poderíamos representar esta verdade do modo seguinte:

Causa > efeito. Este caminho é lógico e infalivelmente certo, porque as setas convergentes, partindo da causa rumo ao efeito, acertam infalivelmente o seu alvo.

Efeito > causa. Este caminho é ilógico e incerto, porque as setas divergentes, partindo do efeito rumo à causa, não acertam o alvo; perde-se no vácuo.

Assim, o homem-ego, que está no mundo dos efeitos, das quantidades, das facticidades, dos finitos, das existências divergentes, nunca pode concluir nada de certo; as suas induções empírico-analíticas são como linhas divergentes, que terminam no vácuo, sem acertar alvo algum; não atingem a Realidade, a causa, a qualidade, o infinito.

Mas o caminho dedutivo-intuitivo, da causa para os efeitos, da Realidade para as facticidades, do infinito para os finitos, gera certeza, porque a sua convergência acerta infalivelmente o alvo.

A indução tenta ir do concreto ao abstrato, do factual para o Real — e não consegue atingir o alvo.

A dedução vai do abstrato ao concreto, do Real ao factual — e acerta infalivelmente o alvo.

A indução *a posteriori* é divergente e incerta.

A dedução *a priori* é convergente e certa.

Com outras palavras: não posso concluir com acerto, das partes para o Todo, dos fatos para o Factor, das existências para a Essência, dos relativos para o Absoluto, das facticidades empírico-analíticas para a Realidade intuitiva, dos derivados para o Original, dos canais para a Fonte.

Este caminho *a posteriori* é um beco sem saída.

Devo iniciar a minha jornada no *a priori*. Ou melhor: devo me tornar idôneo para que a Realidade (*a priori*) visite as minhas facticidades (*a posteriori*). O discípulo deve tornar-se receptivo para receber a visita do mestre.

A fim de ter certeza real, devo tomar o caminho inverso: devo começar na Fonte, na Realidade, na Causa — e daí demandar os canais, as facticidades, os efeitos — ou esperar que estes me visitem. Somente das alturas da Realidade posso ter perspectiva certa e correta sobre as baixadas das facticidades. Só da perspectiva do Absoluto, do Eterno, do Infinito, do Todo, da Divindade, de Brahman, posso ter visão exata das coisas relativas, temporárias, finitas, das partes, das creaturas, de Maya. Somente uma posição firme no transcendente Factor me garante clareza sobre os fatos imanentes.

* * *

Surge agora o magno problema, de que Einstein não fala, mas que a Filosofia tem de abordar. O problema é este:

De que modo conseguirá o homem assumir essa alta perspectiva da Realidade, do Absoluto, do Infinito? Como pode ele subir ao Real, quando vive nas baixadas do Factual? Como passar do mundo dos fatos para o reino do Factor se, no dizer de Einstein, não conduz nenhum caminho do mundo dos fatos para o mundo da Realidade ou dos Valores? Se me é vedado todo o caminho ascensional, como chegarei ao cume desse Everest?

Resposta: se esta transição do factual para o Real fosse necessária, jamais o homem teria verdadeira certeza da autorrealização, porque "as obras que eu faço não sou eu (ego) que as faço, mas é o Pai em mim (Eu) que faz as obras; de mim mesmo (ego) nada posso fazer". Sendo que "eu e o Pai somos um, eu estou no Pai e o Pai está em mim", todo homem, no seu íntimo quê, é esse Real — mas ele ignora que o é, não tem consciência desta presença do Pai nele. Quando o homem se realiza, passa da *inconsciência* da presença do Pai nele para a *consciência* dessa presença. Na linguagem do Mestre, o homem, que é luz ("vós sois a luz do mundo"), mas está com sua luz "debaixo do alqueire" da sua inconsciência, tira esta luz, que ele é, de baixo do alqueire opaco da sua ego-ignorância, e a põe "no alto do candelabro" da sua Eu-sapiência; o homem-ego conscientiza o homem-Eu — e deste modo ele se realiza,[1] conscientizando a Realidade potencial do tesouro oculto e fazendo dessa Realidade potencial uma Realidade atual, um tesouro manifesto.

Eu sou a Realidade potencial — e devo tornar-me a Realidade atual.

Eu sou a Luz potencial (debaixo do alqueire) — e devo tornar-me luz atual (no alto do candelabro).

Eu sou o tesouro oculto do reino de Deus — e devo tornar-me o tesouro manifesto desse reino.

Eu sou a pérola preciosa no fundo do mar — e devo tornar-me essa pérola na luminosa superfície do mar.

Ninguém se torna o que não é — mas o homem se torna atualmente, conscientemente, o que ele já é potencialmente, inconscientemente.

Deus me deu a creaturidade — eu me faço uma creatividade.

"Deus creou o homem o menos possível — para que o homem se possa crear o mais possível."

"O livre-arbítrio é o poder de ser causa própria" — é o poder da autorrealização, da autocreatividade, da autocreação.

Se do mundo dos fatos não conduz nenhum caminho para o mundo da Realidade, do mundo da Realidade conduzem todos os caminhos para o mundo dos fatos.

"O princípio creador reside na matemática."

---

[1] Em inglês, em vez de "eu compreendo" ou "eu conscientizo", se diz *I realize*. De fato, pela compreensão consciente o homem realiza atualmente o que já era real potencialmente. Tudo depende da nossa conscientização, que consiste na creatividade do livre-arbítrio. Aqui na terra, é o homem o único ser dotado de creatividade, ao passo que os outros seres possuem apenas *creaturidade*.

Que é a matemática no plano abstrato? A matemática é o contato consciente com a Realidade — e isto também é a Metafísica, e isto é a Mística.

Nenhum homem pode achar Deus — mas Deus pode achar o homem, se ele for achável. Nenhum canal pode crear a fonte — mas a fonte pode fluir através dos canais, se estes estiverem devidamente evacuados para receber as águas da fonte.

Quando o homem faz de si, do seu ego, suficiente vacuidade, a plenitude da fonte, do Eu, plenifica a vacuidade dos canais.

Todo o segredo da autorrealização, da redenção, está no fato de o homem estabelecer em si total ego-vacuidade — e então a cosmo-plenitude flui para dentro dessa ego-vacuidade.

"Deus resiste aos soberbos (ego-plenos), mas dá sua graça aos humildes (ego-vácuos)."

"DEUS É SUTIL, MAS NÃO É MALDOSO"

Estas palavras de Einstein são, talvez, das mais enigmáticas — mas também das mais profundas do grande pensador intuitivo.

Antes de tudo, convém lembrar que Einstein não entende por Deus alguma entidade ou personalidade divina, como ensinam as nossas teologias. Deus é, para ele, a Invisível Realidade do Universo, a Inteligência Universal, a Consciência Cósmica, ou no dizer de Spinoza, a "alma do Universo".

O tópico completo de Einstein diz: "Deus não joga dados com o mundo — Deus é sutil, mas não é maldoso".

A Inteligência Cósmica é a realíssima realidade, a alma do Universo, que não pode ser verificada pelos sentidos grosseiros do corpo, nem pode ser analisada pela inteligência humana, mas pode ser sentida pela intuição espiritual, pelo "puro raciocínio". As facticidades do mundo são coisas grosseiras, pouco sutis, e por isto podem ser percebidas pelos sentidos e analisadas pela inteligência. Deus, porém, não é uma facticidade concreta, mas sim a realidade abstrata.

Por isto, o homem que provar, ou julga provar, a existência de Deus é ateu, porque prova a existência de uma facticidade que, em hipótese alguma, é Deus, mas algum pseudo-deus, um ídolo qualquer, fabricado pelos sentidos ou pela inteligência humana. O hotentote africano fabrica um deus de madeira ou de barro, ou de outra substância material, e o adora, e por isto é chamado idólatra. O homem erudito de nossos dias fabrica um deus de substância mental e por que seria ele menos idólatra que o pagão africano?

Qualquer deus materialmente ou mentalmente fabricado é um pseudo-deus, um ídolo. O Deus verdadeiro não é objeto dos sentidos ou da mente; ele é a infinita e única realidade, que se revela pela intuição espiritual. Por isto mesmo, o Deus verdadeiro não é pensado nem pensável, não pode ser dito por ser invisível. Tudo que é pensável ou dizível é uma facticidade ilusória, mas não é a realidade verdadeira.

Por esta razão, nenhum homem pode descobrir Deus, mas Deus pode descobrir o homem, se este o permitir.

É isto que Einstein quer dizer quando afirma que Deus é sutil.

Isto me traz à memória "os argumentos teológicos" com que Tomás de Aquino e outros escolásticos medievais tentam provar a existência de Deus, que para eles, não seria sutil, uma vez que pode ser intelectualmente provado. Naturalmente, quem como esses teólogos, entende por Deus uma pessoa (ou até três pessoas), pode recorrer a esse malabarismo de provar ou de mostrar a existência desse Deus-facticidade. Mas Deus-Realidade não é um fato que se possa provar. Felizmente, pelo fim da sua vida, Tomás de Aquino confessou: "Tudo que escrevi é palha!"

A verdadeira certeza, diz Einstein, não vem de provas empírico-analíticas, mas da consciência imediata da Realidade. E esta consciência só funciona devidamente no meio de um grande e prolongado silêncio auscultativo. Não é em uma praça pública, nem em uma biblioteca, mas no deserto que o homem recebe a certeza da existência de Deus.

Isto quer dizer que Deus é "sutil".

Mas acrescenta Einstein, Deus não é maldoso, quer dizer que ele não age arbitrariamente; Deus é a Lei, a infinita *causalidade*, contrária a qualquer casualidade. Em um jogo de azar, como no jogo de dados, o homem não pode prever o que vai acontecer; mas, em se tratando de Deus, o homem pode ter plena certeza dos acontecimentos, porque Deus é a lei, a causa, a suprema racionalidade do Universo.

Se o homem não percebe essa absoluta racionalidade de Deus é porque ainda não se preparou devidamente. Mas, para o homem preparado, a suprema racionalidade divina não é maldosa, desonesta, enganadora; não joga dados, não procede arbitrariamente.

Deus é sutil mas não é desonesto — esta frase de Einstein revela mais do que outra qualquer o caráter intuitivo do grande matemático, todo o seu *apriorismo*, toda a sua tendência *dedutiva*, a visão nítida de que Deus é o grande Uno.

Muitos homens, até grandes cientistas, julgam poder descobrir a suprema realidade do Universo pela força do pensamento analítico. Os homens intuitivos, porém, sabem que pensar é *necessário*, mas não é *suficiente*, pensar é uma condição, mas não é causa da certeza; depois de "pensar 99 vezes", deve o homem mergulhar em um grande silêncio auscultativo e esperar que Deus se revele, porquanto "quando o discípulo (o ego pensante) está pronto, o Mestre (Deus) aparece".

A matemática não é, a bem-dizer, uma *ciência*, que opera no mundo dos fatos, mas sim a *consciência* da própria realidade. A ciência investiga as facticidades, dentro do âmbito de tempo e espaço, ao passo que a consciência (sapiência) recebe a revelação da realidade fora das barreiras de tempo e espaço, no Eterno e no Infinito.

O método pelo qual o matemático recebe a revelação da realidade é, fundamentalmente, o mesmo que o do metafísico e do místico.

Para todos eles, Deus não é maldoso, mas é muito sutil.

Einstein gostava de ir à pé de sua casa até os edifícios da Universidade de Princeton.

"O PRINCÍPIO CREADOR RESIDE NA MATEMÁTICA"

A matemática — diz Einstein — goza, perante todas as outras ciências, de um prestígio especial, e isto por uma razão única: é que suas teses são absolutamente certas e irrefutáveis, ao passo que as outras ciências são controvertidas até certo ponto e sempre em perigo de serem derrubadas por fatos recém-descobertos. A matemática desfruta deste prestígio porque é ela que dá às outras ciências certa medida de segurança, que elas não poderiam alcançar sem a matemática.

E aqui é que surge o enigma: como é possível que a matemática, que é um produto da mente humana, independente de qualquer experiência, se adapte tão perfeitamente a todos os objetos da realidade? Será que a razão humana pode descobrir atributos das coisas reais sem nenhuma experiência, só pelo poder da mente?

A esta pergunta responde Einstein:

"As teses da matemática não são certas quando relacionadas com a realidade e, enquanto certas, não se relacionam com a realidade".

Não nos esqueçamos de que Einstein emprega a palavra "realidade" no sentido popular de "fatos", ou "facticidades", como se depreende do contexto. Para nós, habituados à acribia da Filosofia Cósmica ou Univérsica, a realidade não são os fatos, mas é anterior a eles, e os fatos dimanam da realidade. Em nossa terminologia de alta precisão diríamos: "as teses da matemática não são certas quando relacionadas com os fatos concretos e, enquanto certas, não se relacionam com os fatos; são certas somente em sua realidade abstrata".

E Einstein continua, precisando mais nitidamente o seu pensamento:

A matemática, quando independente das suas aplicações objetivas, se chama "axiomática", que se refere tão-somente à "lógica formal" da matemática, e não à sua aplicação material.

Que é "axiomática"?

É derivada da palavra grega "axia" que quer dizer "valor", mas valor em sentido metafísico de qualidade ou realidade, e não no sentido físico de quantidade ou facticidade. Um objeto quantitativo não tem "axia"; a verdade, a justiça, o amor, têm "axia"; valor qualitativo. Einstein, identificando a matemática abstrata como "axiomática" afirma que a matemática, quando abstrata, ou lógica formal, é um valor metafísico, que nada tem que ver com fatos físicos, embora possa ser aplicada a qualquer fato.

Quem afirma que 2x2 são 4 não se refere a nenhum fato físico, mas enuncia uma verdade metafísica, abstrata, universal, independente de objeto, tempo e espaço. Neste mesmo sentido afirma Einstein, em outra parte, que "do mundo dos fatos não há nenhum caminho que conduza para o mundo dos valores", e ele manda intuir primeiro o mundo dos valores, pelo puro raciocínio, a fim de compreender o mundo dos fatos. Do mundo empírico-analítico dos sentidos e da mente não há nenhum caminho que conduza para o mundo real dos valores intuídos pela razão pura, ou pelo puro raciocínio.

Aqui Einstein fala como perfeito discípulo de Platão, ou como o rei dos neoplatônicos, e se confessa adepto do "sonho dos antigos".

Precisamente por não depender a matemática de nenhum objeto, pode ela orientar seguramente todo o mundo objetivo. O caminho do concreto para o abstrato é inseguro e intransitável — mas o caminho do abstrato para o concreto é seguro e sempre transitável.

Assim fala o matemático, e assim falam todos os metafísicos e místicos.

A verdadeira certeza é sempre *a priori*, intuitiva-dedutiva; vai da realidade às facticidades, do universal para o individual, do abstrato para o concreto, do absoluto para o relativo. O caminho inverso não dá certeza real, dá apenas probabilidade maior ou menor. Somente o matemático, o metafísico, o místico, possuem verdadeira certeza, porque têm contato consciente com a própria realidade, com o Uno do Universo. E é esse Uno que confere certeza ao Verso, mas o Verso não dá certeza do Uno. Graficamente, poderíamos concretizar esta verdade do seguinte modo:

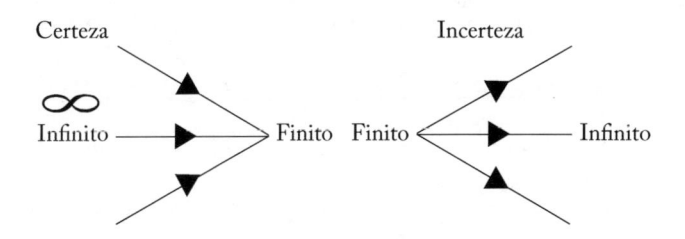

```
   Certeza                          Incerteza

∞
Infinito ──────▶ Finito    Finito ◀────── Infinito
```

Na primeira figura, o movimento vai do Infinito ao Finito, e acerta infalivelmente o alvo Finito — e isto é certeza.

Na segunda figura, o movimento vai do Finito ao Infinito; não há certeza de acertar o alvo, por se tratar de linhas divergentes — não há certeza.

No primeiro gráfico teríamos dedução, *a priori*, intuição.

No segundo gráfico teríamos indução, *a posteriori*, análise.

O pensamento de Einstein obedece à mais alta precisão, mas as palavras com que ele enuncia os seus pensamentos seguem a terminologia tradicional, que nem sempre prima pela precisão. Assim ele parece estranhar que a mente humana possa produzir algo independente da experiência externa, empírica.

Mas será que a nossa mente "produz" a matemática?

Não seria melhor dizer que a mente descobre a matemática? Se a matemática é a própria realidade, ela só pode ser descoberta por nós, mas não produzida.

Se, porém, dissermos que a matemática é a verdade, talvez possamos dizer que ela é produzida, assim como a verdade é a harmonia entre o meu pensamento e a realidade, e eu sou o autor desta verdade, mas não da realidade.

De fato para fato não há certeza — só de realidade para fato há certeza.

Assim, da física para a física, de ego para ego, não há solução de nenhum problema — a solução está no processo da metafísica para a física, do Eu para o ego.

Um lago no mesmo nível da turbina não produz força — mas uma cachoeira por cima do nível da turbina faz trabalhar esta.

De entropia para ectropia há passividade — mas de ectropia para entropia há atividade.

Nenhum ego humano, por mais inteligente, resolve os problemas do ego, se não receber o impacto do Eu superior.

O princípio creador reside na matemática, na metafísica, na mística.

DEDUÇÃO *A PRIORI* VERSUS INDUÇÃO *A POSTERIORI*

A dedução *a priori* é própria do gênio, do místico, do intuitivo — ao passo que a indução *a posteriori* apraz ao talento, ao moralista, por ser meramente analítica.

A intuição dedutiva é como uma *solitária vertical*, que parte da Fonte do UNO, como um excelso Everest; só é conhecida por uns poucos pioneiros da Transcendência, que não andam com a turbamulta em estradas batidas, mas se embrenham por florestas virgens e invadem ínvios desertos, mergulhados em profundo silêncio e orientados por um faro cósmico que só eles conhecem...

Nessa solitária jornada, primeiro expiram os ruídos materiais. Mais tarde, morrem também os ruídos mentais e emocionais. E, quando o homem estiver em silêncio total, e na total nudez do seu Eu, sem nenhuma roupagem do velho ego, então percebe ele o trovejante silêncio da Realidade Cósmica. Como a íntima essência do homem é idêntica à essência do cosmo, o silêncio hominal é o eco do silêncio sideral.

Quem nunca viveu essa simbiose do silêncio hominal-sideral não tem a menor ideia da sua fascinante realidade e indizível beatitude...

O silêncio dentro do homem sabe e saboreia as leis eternas que estão no seio do silêncio do cosmo. O homem, assim cosmificado pelo silêncio, ouve a silenciosa legislação do Universo.

As leis cósmicas devem ser intuídas em profundo silêncio — não podem ser captadas nem analisadas pelo ruído mental. A análise mental pode preceder, como elemento necessário, mas só a intuição cósmica é suficiente para plenificar a vacuidade do homem.

Einstein diz: "O princípio creador reside na matemática".

"O raciocínio puro pode atingir a Realidade." Por quê?

Porque matemática, metafísica ou mística, consistem na perfeita harmonia entre o meu pensamento ou intuição e a Realidade Cósmica. E assim as águas vivas da Realidade fluem espontaneamente através dos canais abertos do homem, quando puros e ligados com a Fonte.

Eu tenho de subir laboriosamente do VERSO ao UNO até que o UNO venha ao meu encontro. E depois dominar gloriosamente o VERSO pelo poder do UNO. A subida é "caminho estreito e porta apertada", mas o domínio lá em cima é "jugo suave e peso leve".

O mergulho no *a priori* confere poder sobre o *a posteriori*.

A LUZ TEM PESO E SE MOVE EM LINHA CURVA

Em 19 de maio de 1929 ocorreu um eclipse total do Sol. A Real Sociedade de Ciências de Londres enviou duas equipes de cientistas para fotografarem o Sol totalmente eclipsado. Uma dessas turmas foi a Sobral, Estado do Ceará, Brasil; a outra, à ilha do Príncipe, no golfo de Guiné, África, locais considerados especialmente favoráveis para obter fotografias perfeitas. A equipe de Sobral trouxe 16 fotografias de primeira ordem. Em pleno meio-dia aparecem as estrelas visíveis ao redor do Sol obscurecido pela Lua.

Uma equipe de peritos interpretou as fotografias e chegou à conclusão:

1 - que a luz estelar sofre uma deflexão rumo ao globo solar, sinal de que ela tem peso e obedece à lei da gravidade;

2 - que a luz se propaga em linha curva e não em linha reta, como se supunha.

Com isto, estava experimentalmente provada a base da Teoria da Relatividade. Einstein, porém, ficou estranhamente indiferente em face dessa prova empírica, porque para ele a certeza não vem do mundo físico dos fatos, mas sim do mundo metafísico da matemática. Para ele, o princípio creador da certeza reside na matemática, e esta certeza não pode ser adquirida nem destruída por nenhum fato concreto.

Duas coisas parecem estranhas: primeiro que a luz se propague em linha curva e não reta. Aliás, parece que todas as coisas do mundo finito obedecem a esse princípio da curva, que os hindus representavam pelo sinal "O", um círculo que volta sobre si mesmo; ou pela serpente circular que morde a sua própria cauda. Todo o finito destrói sempre o que construiu. O Infinito era representado pela linha reta vertical "I", de que resultou o nosso algarismo 1. O Infinito com os seus finitos geram o Universo: 1000000, o Uno "1", causando o Verso "000000".

O segundo ponto de estranheza é o fato de ter a luz peso, mais uma prova da sua finitude, embora esse peso seja tão sutil e tão bem equilibrado que parece não existir.

E por que parece a luz ser tão leve?

Talvez porque a sua massa (velocidade) é máxima e seu volume (materialidade) é mínimo.

Parece que a massa só atua como peso quando age em sentido unilateral ou *linear*, e o peso desaparece quando a massa se irradia em sentido onilateral ou *esférico*. Gravitação em sentido unilateral se manifesta como peso; gravitação em sentido onilateral é como ausência de peso, porque a esfericidade da radiação se neutraliza mutuamente; se a radiação norte-sul é 100 em cada sentido, então ela é igual a 0; se a radiação leste-oeste é 100 de parte a parte, então o resultado é 0 — isto é, peso zero.

A luz tem peso *quase zero* porque a sua massa é quase sem volume e a sua gravitação é esférica onilateral. Se a luz fosse massa 100 e volume 0, não teria peso algum; mas Einstein demonstrou e a fotografia comprovou que a luz tem peso, o que prova que ela não é a massa absoluta (que seria sem peso), mas digamos 99% massa e 1% volume, e por isto o peso da luz pode ser igual a 1%. A esfericidade da sua gravitação não é, pois, total, absoluta; se assim fosse, a luz não teria peso algum, não seria atraída pelo globo solar, porque a perfeita *esfericidade* da sua radiação neutralizaria todas as suas *linearidades*. Radiação (gravitação) absolutamente esférica, onilateral, neutraliza qualquer peso. Gravidade 100 é o peso 0. Peso não é idêntico a gravidade. Peso é uma gravidade parcial, unilateral.

Quando a gravidade é total, onilateral, o peso é nulo.

Pode-se dizer que gravidade e velocidade são a mesma coisa. Se a velocidade da luz fosse absoluta (massa sem volume), então a gravidade da luz não teria peso algum. O fato de ter a luz um certo peso não prova que a sua massa (velocidade, gravidade) não é absoluta, mas relativa. Por isto, a velocidade natural da luz (300.000 km por segundo) pode ser artificialmente acelerada, como demonstram as experiências a *laser* e como supõe a própria equação da relatividade de Einstein: $E = mc^2$. Sendo "c" a velocidade da luz, e podendo haver o quadrado dessa velocidade, segue-se que a velocidade natural da luz não é imutável; a luz não é uma "constante" absoluta, mas sim uma "constante" relativa; existe como "constante natural" no cosmo, mas pode ser uma "inconstante artificial" no laboratório físico. A imutabilidade da luz é natural, mas a sua mutabilidade é artificial.

Sendo que a gravitação esférica, onilateral, equivale à ausência de peso, compreende-se que os corpos sidéreos permaneçam livremente no espaço, sem apoio, e porque o seu movimento não sofre aumento nem diminuição, uma vez que não há atrito, e seu peso é neutralizado pela sua gravitação esférica, onilateral. Nenhum dos corpos sidéreos tem peso, porque todos têm gravitação onilateral, mutuamente compensada e nulificada.

A radiação esférica ou onilateral da luz gera ausência de peso. Mas a proximidade de uma grande quantidade de matéria desequilibra esse equilíbrio, aparecendo como peso.

Assim a luz representa o mínimo de *determinismo alheio* e o máximo de *determinação própria*. A luz se aproxima do "poder de ser causa própria", da autodeterminação, e está longe do alo-determinismo. Max Planck, na teoria dos "quanta", como já lembramos, provou que o determinismo alheio cresce na razão direta do volume (quantidade) e decresce na razão da massa (qualidade). Assim, um átomo, com volume mínimo, sofre determinismo mínimo, agindo de um modo quase livre, muitas vezes imprevisível, ao passo que uma molécula, ou outro agregado maior de matéria, está totalmente sujeito ao determinismo causal.

O determinismo causal é diretamente proporcional ao volume do objeto, e inversamente proporcional à sua massa.

O indeterminismo (autodeterminação) é diretamente proporcional à massa, e inversamente proporcional ao volume do objeto.

A luz parece aproximar-se de uma tal ou qual autodeterminação, por ser o máximo de massa (qualidade) e o mínimo de volume (quantidade).

A matéria, antítese da luz, é o máximo de volume (quantidade) e o mínimo de massa (qualidade), e por isto sofre todo o impacto do determinismo causal, que se revela pela inércia ou peso, por ser a sua radiação unilateral, unilinear.

No homem, a luz pode ser representada pelo Eu — máximo em qualidade, mínimo em quantidade; ao passo que a matéria é representada pelo *ego*, máximo em quantidade e mínimo em qualidade.

O Eu-luz é 99% ativo e 1% passivo, enquanto o ego-matéria é 99% passivo e 1% ativo. Estas proporções entre atividade e passividade variam conforme a evolução e atuação do Eu ou livre-arbítrio. Quando o Eu do livre-arbítrio chega ao máximo, o ego da escravidão desce ao mínimo. "Eu sou a luz do mundo."

"O príncipe deste mundo, que é o poder das trevas, tem poder sobre vós, mas sobre mim não tem poder algum, porque eu já venci este mundo."

"A luz brilha nas trevas, mas as trevas não a prenderam."

A REALIDADE DE TEMPO E ESPAÇO

O homem comum está convencido de que um determinado objeto tem uma certa dimensão, digamos uma tridimensionalidade fixa e invariável, que, por exemplo, uma medida de metro tem tal comprimento, tal largura e tal espessura. Entretanto, não existe nenhum objeto com certo comprimento, certa largura e certa espessura fixos e constantes. Todas as dimensões variam com a duração, o tempo, a velocidade a que estão sujeitas. Se o meu corpo tem determinada altura, largura e espessura, aqui na terra, essas dimensões são tais enquanto sujeitas ao conjunto das velocidades a que o meu corpo, aqui na terra, está sujeito. A Terra se move:

1 - ao redor do seu próprio eixo em cada 24 horas, que é a menor das suas velocidades.

2 - move-se ao redor do Sol, com uma velocidade aproximada de 32 km por segundo, que equivale a mais de 30 vezes a velocidade inicial de uma bala de fuzil.

3 - o Sol se move ao redor de outro sol, ou estrela fixa, com uma velocidade muito maior do que as citadas, e cada objeto aqui na terra acompanha também este movimento.

4 - a nossa galáxia de sóis e estrelas se move ao redor de outra galáxia com inconcebível velocidade.

Ora, está provado pela ciência que o volume de um corpo qualquer diminui com o aumento da sua velocidade, ao passo que sua massa aumenta com a velocidade. Um corpo que atingisse a velocidade da luz — 300.000 km por segundo — teria um mínimo de volume e um máximo de massa. Um metro, por exemplo, não teria esse tamanho, mas talvez um centímetro ou milímetro de dimensão; teria diminuído de volume, embora crescido de massa.

É fácil compreender o que a física entende por "volume", enquanto é difícil imaginar o que ela chama "massa". Fritz Kahn, no seu livro *O Átomo*, procura tornar compreensível esse conceito, dando o seguinte exemplo: Imaginemos que o maior edifício do mundo, o *Empire State Building* de Nova York, fosse reduzido, por compressão, ao tamanho de uma agulha de costura; o seu volume teria diminuído enormemente, mas a sua massa seria ainda a mesma e, como o peso corresponde à massa, o peso desse gigantesco edifício seria ainda o mesmo, e não haveria guindaste capaz de suspender essa agulha. A diminuição do volume por meio de compressão apenas eliminaria os vácuos existentes em qualquer matéria, e por isto não modificaria o peso, porque os vácuos não têm peso.

Outro exemplo do mesmo autor é o seguinte: se comprimíssemos para dentro do globo solar todo o sistema planetário, restaria um volume do tamanho de uma bola de futebol, porque as circunstâncias (volume) seriam eliminadas parcialmente, ficando a substância (massa).

Se neste momento a Terra parasse no seu movimento de rotação, de translação solar estelar e galáctica, todos os objetos aumentariam de volume e diminuiriam de massa.

Em resumo, a velocidade faz diminuir o volume (circunstância) e aumentar a massa (substância).

Alguns dos grandes filósofos, sobretudo os da Grécia, anteciparam, na essência, a lei da relatividade, porque sentiram a afinidade entre metafísica e matemática.

Assim, por exemplo, Aristóteles, quando afirma que Deus é *actus purus*, pura atividade sem passividade, pura realidade sem facticidade, o que equivale a dizer que Deus, a Suprema Realidade, é qualidade sem quantidade, ou, em termos de Einstein, massa sem volume. Também a célebre comparação da "roda gigante" enuncia a mesma verdade: em uma roda que receba o seu impulso pelo eixo, a força está no centro do eixo e os movimentos estão na periferia, e tanto maior é o movimento quanto mais distante do eixo, ao passo que tanto maior é a força quanto mais próxima do eixo; no centro dinâmico do eixo há força sem movimento, ao passo que as periferias são invariavelmente um misto de força e movimento, de Realidade e Facticidades, de Uno e Verso, de Essência e Existência.

Séculos mais tarde escreveu Santo Agostinho: "O centro de Deus está em toda parte, mas a sua periferia não está em parte alguma", afirmando, virtualmente, esta mesma verdade.

Arquimedes de Siracusa afirma que, se o homem conseguisse colocar-se em um ponto fixo do Cosmo, teria poder sobre todas as periferias movediças, afirmando mais uma vez o princípio fundamental da relatividade.

Demócrito de Abdera, citado por Einstein com grande admiração, escreveu a primeira teoria atômica cerca de 24 séculos antes de Einstein. Imaginou um átomo realmente atômico, isto é, indivisível, como quintessência do Universo, como puro Uno sem Verso, qualidade sem quantidade, antecipando a concepção da massa sem volume, da Realidade Absoluta, que é pura atividade, ou seja, velocidade integral.

Milênios antes da era cristã, os grandes pensadores da Índia e da China — Buda, Krishna, Lao-tsé, e outros — falam de Brahman e Maya, de Nirvana e Samsara, focalizando a concepção do Uno Infinito e do Verso Finito, da Realidade e das Facticidades, do Absoluto e dos Relativos, que são mais uma vez a base da Teoria da Relatividade.

Em última análise, toda metafísica e mística são equivalentes à matemática. Que é, afinal de contas, a matemática abstrata se não a consciência da Realidade? E que são a metafísica e a mística se não esse contato consciente com a Realidade?

Pelos sentidos e pela mente, o homem atinge apenas o mundo dos Relativos — somente a intuição espiritual o aproxima do mundo do Absoluto. Por isto, Einstein insiste em afirmar que somente a intuição é que atinge a alma do Universo.

TERCEIRA PARTE

PARA COMPREENDER A RELATIVIDADE

Suas ousadas teorias — pouco aceitas de início — foram comprovadas paulatinamente por meio de experiências práticas no campo da Física Nuclear e da Astronomia.

EXPLICAÇÃO NECESSÁRIA PARA COMPREENDER A RELATIVIDADE

A cavalgada de um adolescente em um raio de luz, relógios que andam mais depressa quando estão imóveis, discos de 33 rotações cujo centro envelhece mais rápido que a borda, raios luminosos que se curvam, objetos que mudam de tamanho e de peso, dois gêmeos que não têm a mesma idade, buracos negros no espaço dos quais nem mesmo a luz pode escapar, todas estas noções que parecem fugir do bom senso fazem parte do universo insólito da relatividade einsteiniana. Mas todos estes efeitos estranhos postulados em sua teoria só são perceptíveis a velocidades muito elevadas. Na vida cotidiana são tão ínfimos que passam despercebidos, apesar de sua importância na física.

Muitas das consequências da teoria da relatividade são tão complexas que só podem ser expressas em termos matemáticos.

Os desenhos e explicações das páginas seguintes tentam fornecer uma introdução visual, e necessariamente aproximativa, ao misterioso universo de Einstein.

EINSTEIN NO
PAÍS DAS MARAVILHAS

Que é relatividade? O célebre matemático francês Henri Poincaré concebeu a seguinte "experiência imaginária" para explicar o conceito de relatividade. Suponhamos, dizia, que uma noite, enquanto estivéssemos profundamente adormecidos, *tudo*, *absolutamente tudo* no Universo aumentasse mil vezes: o Sol, a Terra, as estrelas, nossa casa, nossa cama, nós mesmos, o comprimento das ondas luminosas, os átomos, os elétrons. Poderíamos, ao despertar, dizer que algo havia mudado? Não, respondia Poincaré, porque nada o demonstrava.

Não teria sentido algum dizer que o Universo havia se tornado maior, já que por esta expressão entendemos algo "maior" que "outra coisa". E tratando-se do Universo, não existe nenhuma "outra coisa".

O conceito de tamanho é, pois, um conceito relativo.

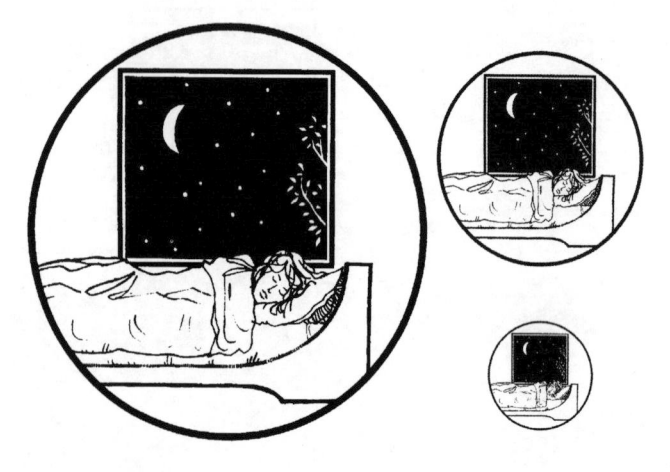

UM BONDE CHAMADO RELATIVIDADE

Quando adolescente em Zurique, Einstein fazia uma elocubração aparentemente inocente, mas que depois demonstrou ser a essência do princípio da relatividade. "Como veria eu o mundo", perguntava-se, "se o percorresse montado em um raio de luz?"

Façamos com Einstein esta viagem imaginária. Suponha o leitor que se encontra em Berna, junto a um relógio público, dispondo-se a tomar um bonde, como Einstein costumava fazer todos os dias para ir ao Escritório Suíço de Patentes, onde trabalhava. Imagine que, em vez de fazer o caminho habitual, o bonde o levasse à velocidade da luz (300.000 quilômetros por segundo) pelo mesmo raio luminoso com o qual o leitor vê a hora indicada no relógio público. Suponha que o relógio marcava três horas quando o bonde partiu para transportá-lo a uma distância de 300.000 quilômetros.

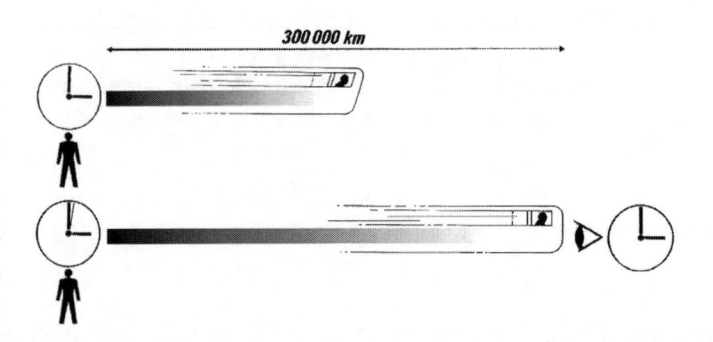

A viagem dura exatamente um segundo. Mas quando os passageiros do bonde tivessem chegado a seu destino — e se pudessem ver o relógio a semelhante distância — notariam que este continuava marcando três horas. E por quê? Porque o raio de luz que nos permite ver a hora no momento da partida leva exatamente o mesmo tempo que nós para chegar ao destino. Ao manter-se à velocidade da luz, o viajante do bonde imaginário está fora do transcurso do tempo.

Por outro lado, para alguém que tivesse permanecido junto ao relógio, este indicaria três horas e um segundo. Em outras palavras, o tempo transcorre de maneira diferente para o passageiro do bonde e para o observador da rua de Berna; ou seja, contrariamente ao que sustentava Newton, não existe o tempo absoluto.

Mais ainda, embora no bonde se observem as mesmas leis e as mesmas relações entre tempo, distância, velocidade, massa e força que em qualquer outro lugar, seu *valor* real não é o mesmo que para qualquer outra pessoa em outro lugar. A velocidade da luz é o único valor invariável para todos.

Para Newton, tempo e espaço constituem uma estrutura absoluta, e o mundo é percebido da mesma maneira por qualquer observador, onde quer que esteja e onde quer que vá. Para Einstein, no entanto, o que dois observadores veem é relativo à posição e à velocidade de cada um.

Não podemos saber como é o mundo; só podemos comparar nossa própria visão com a dos outros. A relatividade consiste em conceber o mundo não como uma soma de acontecimentos, mas de relações.

O RELÓGIO ENLOUQUECIDO

Segundo uma curiosa previsão da teoria da relatividade, um relógio imóvel anda mais depressa que um relógio em movimento. Em 1905, Einstein escrevia: "Um relógio colocado no Equador funcionará de maneira imperceptivelmente mais lenta que um relógio colocado em um dos polos da Terra".

Isto foi comprovado experimentalmente pelo cientista inglês H. J. Hay. Para tanto, concebeu um modelo do globo terrestre achatado como um disco plano, com o polo Norte no centro e o Equador na borda, e fixou um relógio atômico ou radioativo em cada um desses pontos. A previsão de Einstein estava correta: o relógio da borda marcava o tempo mais lentamente que o do centro.

O mesmo acontece com qualquer disco em uma vitrola: a cada volta seu centro envelhece mais rapidamente que a borda.

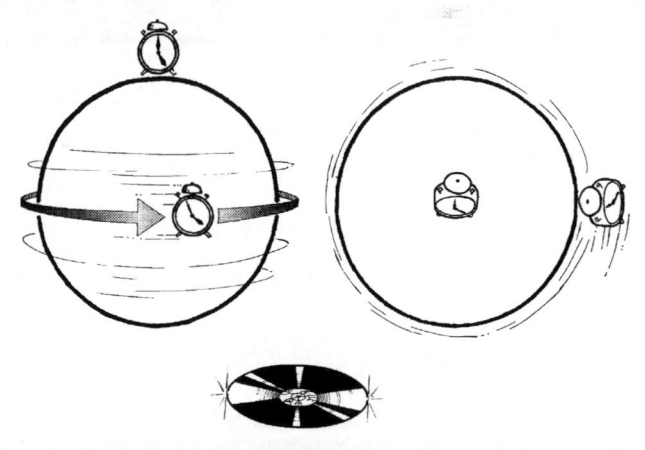

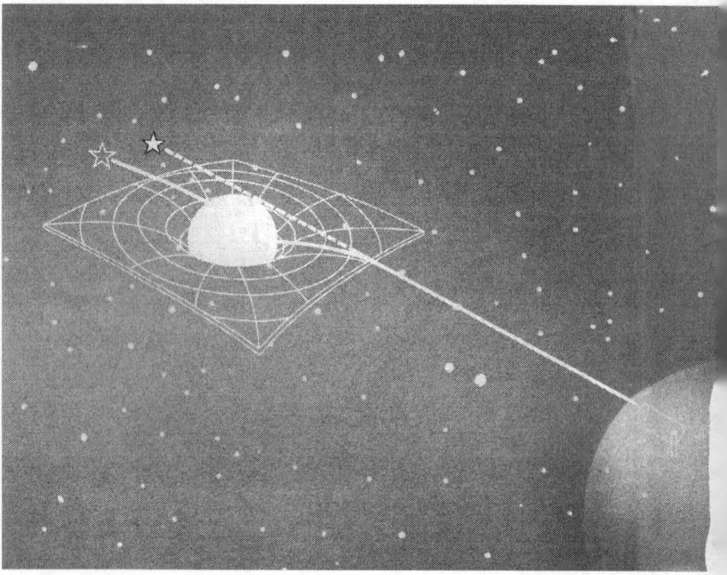

AS CURVAS DO ESPAÇO-TEMPO

Para Newton a gravitação era a atração recíproca das massas de matéria, ou seja, o fenômeno pelo qual dois corpos quaisquer podem atrair-se com uma força proporcional a seu tamanho e à distância que os separa. Essa força atua em qualquer parte do cosmo, fazendo com que uma maçã caia da árvore ao solo, ou com que a Lua gire em torno da Terra.

Pondo de lado esta noção de uma força ativa, que constitui o mecanismo básico do universo newtoniano, Einstein empregou o conceito de "campo gravitacional"; assim como o campo gravitacional da Terra determina a queda da maçã de Newton, o campo gravitacional do Sol faz com que os planetas girem em torno dele. Segundo Einstein, a matéria cria este campo gravitacional provocando em torno de si uma distorção do que chamou "contínuo espaço-tempo". Pôde-se comparar este fenômeno à deformação sofrida por um tapete de espuma de borracha sobre o qual se colocam objetos pesados (no caso o Sol e as estrelas).

O desenho mostra as linhas curvas da superfície côncavo-convexa que a luz seguiria em sua trajetória, e o desvio ou deflexão desta ao encontrar em seu caminho grandes corpos celestes. A previsão de Einstein de que a luz das estrelas, ao passar perto do Sol, descrevia no espaço uma linha curva devido à presença do astro, foi confirmada graças à observação já célebre de um eclipse total do Sol, feita pelo astrônomo inglês Sir Arthur Eddington em 1919.

O PESO DOS OBJETOS NÃO É O MESMO

O peso dos objetos não é o mesmo em todos os pontos da superfície terrestre. Isto se deve ao fato de a Terra não ser perfeitamente redonda, e a seu movimento de rotação. Assim, no centro da Terra os objetos não teriam peso, já que a matéria terrestre os atrai igualmente em todas as direções.

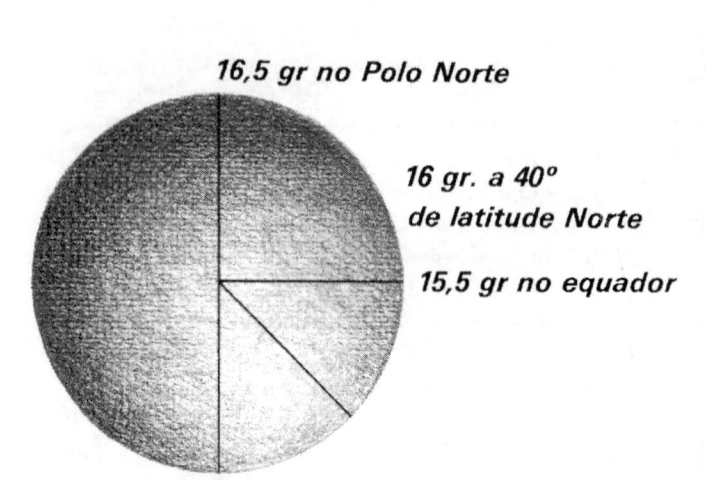

16,5 gr no Polo Norte

16 gr. a 40° de latitude Norte

15,5 gr no equador

0 gr no centro da Terra

"PULSARES" — NOVOS CORPOS CELESTES

As estrelas de grande massa se consomem com maior intensidade que o Sol, têm vida muito mais curta e terminam a existência com uma explosão colossal. A nebulosa de Câncer (abaixo) é formada pelos restos da explosão de uma estrela que foi observada pelos astrônomos chineses em 1504.

Em 1969 os astrônomos descobriram uma estrela de nêutrons no centro da nebulosa. Este corpo, extremamente denso, é uma massa residual comprimida da estrela original. Tais corpos celestes são conhecidos pelo nome de "pulsares", porque emitem luz e sinais de rádio a impulsos regulares.

O PESADELO DOS GOLEIROS

Qual não seria o espanto de um goleiro ao ver o centro-avante adversário chutar a bola de tal maneira que seu movimento fosse se acelerando desde a imobilidade até a velocidade da luz? A bola, que imóvel pesa cerca de 450 g, ficaria cada vez mais pesada: mais pesada que um elefante, que um bloco de edifícios e até mesmo que o Sol, já que à velocidade da luz seu peso seria infinito.

Tudo isto pode ser deduzido da famosa equação de Einstein $E = mc^2$ (a energia é igual à massa multiplicada pelo quadrado da velocidade da luz). Segundo esta equação, se dividirmos a energia do movimento (energia cinética) da bola pelo quadrado da velocidade da luz, descobriremos sua massa. Esta já foi definida como a quantidade de matéria de que está formado um objeto, mas os cientistas preferem defini-la como uma medida da inércia, ou seja, a resistência da matéria à aceleração.

Na vida cotidiana costumamos medir mais o peso que a massa, mas, embora entre ambos exista uma estreita relação, a noção de peso é mais complexa que a de massa devido ao fato de o peso depender da força do campo gravitacional da Terra.

O PARADOXO DOS GÊMEOS

Como se sabe, a teoria da relatividade geral afirma que nem o tempo nem a distância são valores absolutos, dependendo do movimento relativo dos observadores, e que o único valor absoluto e constante é a velocidade da luz.

Estas hipóteses levam a conclusões aparentemente muito curiosas no que diz respeito aos fenômenos produzidos a enormes velocidades. Para um espectador que observasse uma nave espacial afastar-se da plataforma de lançamento a uma velocidade próxima à da luz, o relógio de bordo (supondo-se que pudesse vê-lo) pareceria mover-se muito lentamente. Por outro lado, para alguém que viajasse na nave, o tempo terrestre é que pareceria transcorrer mais lentamente. Esta aparente contradição deu origem a um famoso enigma conhecido pelo nome de "paradoxo dos gêmeos". Se o indivíduo que viaja pelo espaço e o que fica em terra fossem gêmeos ocorreria uma diferença de idade? Em caso afirmativo, qual seria ela quando da volta à Terra do gêmeo astronauta?

Einstein mostrou que, devido aos diversos efeitos da relatividade, em particular ao da aceleração que a volta à Terra da nave espacial exerceria sobre os passageiros, o gêmeo astronauta envelheceria mais lentamente que seu irmão.

O astrofísico britânico Herbert Dingle considera esta hipótese absurda. Se, como afirma a teoria da relatividade, não existe movimento absoluto, já que todo movimento só existe em relação a outros objetos, não se poderia afirmar que a nave espacial não se moveu e que a Terra é que se havia afastado dela a grande velocidade, para depois voltar em sua direção? Neste caso, quando terminasse a viagem, o mais

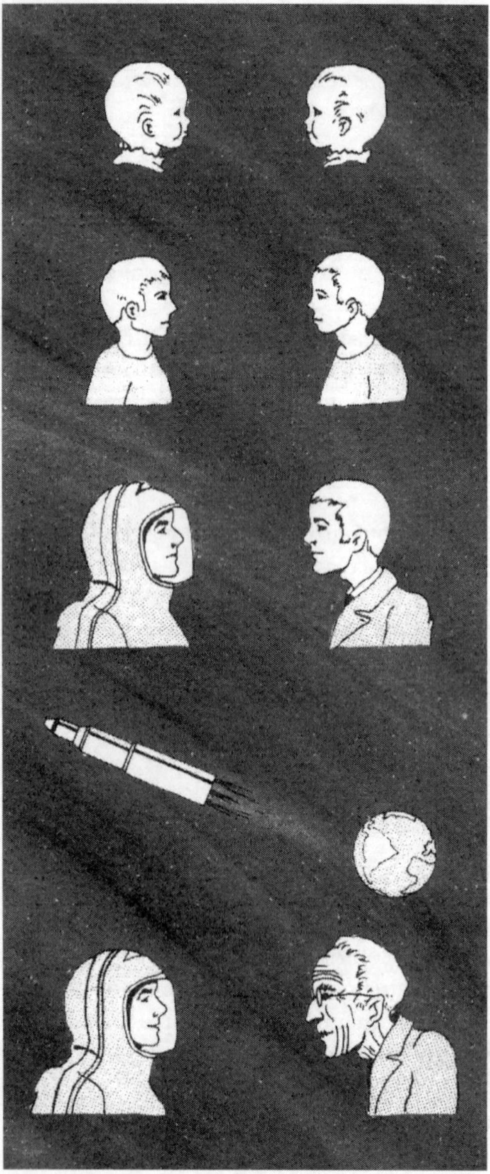

jovem seria o gêmeo terrestre. Mas, como é natural, um gêmeo não pode ser mais jovem que o outro. No entanto, há uma diferença fundamental entre o movimento relativo do gêmeo astronauta e o do terrestre. Quando afirmamos que a Terra se afasta da nave espacial, é o Universo inteiro que ficou em movimento com ela. Em outras palavras, a Terra permanece imóvel em relação ao Universo, e por isto os efeitos da relatividade que estão ligados à aceleração só se aplicam ao gêmeo instalado na nave espacial.

Em resumo, é preciso viajar a grande velocidade para manter-se jovem.

ESTRELAS GIGANTES E BURACOS NEGROS

Quando olhamos para o céu de noite podemos ver as estrelas porque elas emitem luz. Mas nas equações da teoria da relatividade geral — e esta é uma das consequências mais "fantásticas" da teoria de Einstein — está contida a possibilidade de que existam também "buracos negros", cadáveres da estrelas que outrora foram enormes, mas que não podemos ver por seu campo gravitacional ser tão forte que elas não podem desprender nenhuma luz.

Como se formam esses buracos negros? E se não podemos vê-los, como comprovar sua existência?

O desenho a seguir descreve, da esquerda para a direita, as etapas da formação de um buraco negro. No período de estabilidade das estrelas maciças, a pressão gravitacional (representada pelas setas dirigidas para o interior) é equilibrada pela pressão das radiações emitidas por reações nucleares no centro das estrelas (setas dirigidas para o exterior). Ao fim da vida, a estrela já esgotou seu combustível termonuclear, estas reações se interrompem e a estrela desaba sobre si mesma pela força de sua própria gravidade. Por fim, a estrela que sofre este "desabamento" gravitacional se estabiliza em uma fase de enorme condensação: seu volume é mínimo para uma densidade e uma gravidade infinitamente grandes.

Os buracos negros são por definição invisíveis, até mesmo para os telescópios mais potentes, mas sua presença pode ser detectada pelos efeitos que causam sobre as estrelas visíveis situadas nas proximidades. Devido a seu imenso poder gravitacional, os buracos negros se comportam como gigantescos aspiradores do espaço, absorvendo tudo que passa a seu alcance.

Abaixo, os gases desprendidos de uma estrela maciça visível são arrastados para um buraco negro invisível. Quando estes gases penetram em espiral no buraco negro, são esquentados e comprimidos, emitindo raios X que os astrônomos podem detectar.

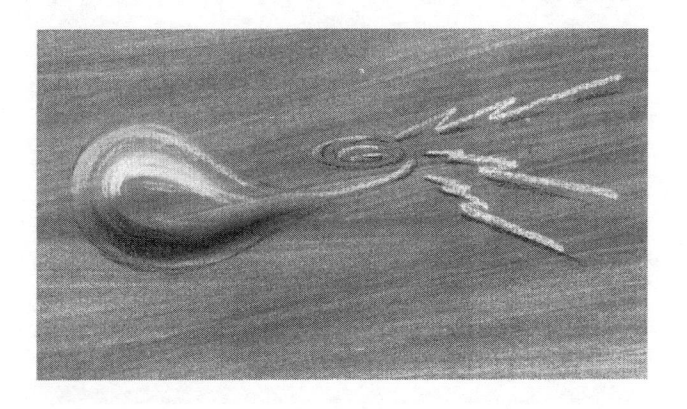

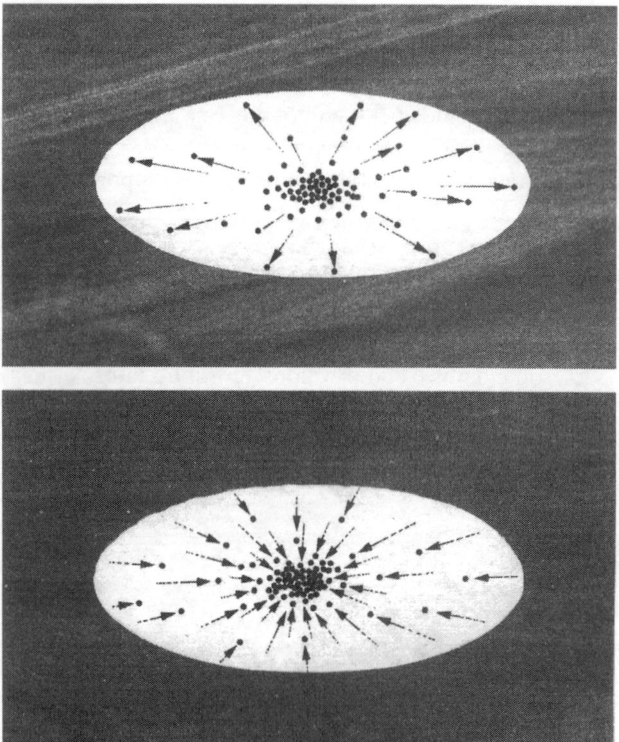

O UNIVERSO ESTÁ EM EXPANSÃO

Os trabalhos de Einstein deram novo impulso à cosmologia, ou estudo do Universo. O matemático soviético Alexander Friedmann demonstrou que, segundo as teorias de Einstein, o Universo é instável e se encontra provavelmente em expansão.

A princípio Einstein se negou a seguir, até as últimas consequências, o desenvolvimento lógico de suas próprias equações e, para chegar a um modelo fechado do Universo, introduziu nas equações da gravitação um fator a que chamou "constante cosmológica".

Em 1924 o astrônomo norte-americano Edwin Hubble verificou experimentalmente a proposição de Friedmann, segundo a qual as galáxias se afastam a uma velocidade crescente e o Universo se encontra em expansão. Einstein finalmente se rendeu à evidência e qualificou sua primeira hipótese de "o maior disparate de minha vida". Acima, representação de um universo aberto, constantemente em expansão; abaixo, a de um universo fechado que acabará por contrair-se.

PERIÉLIO

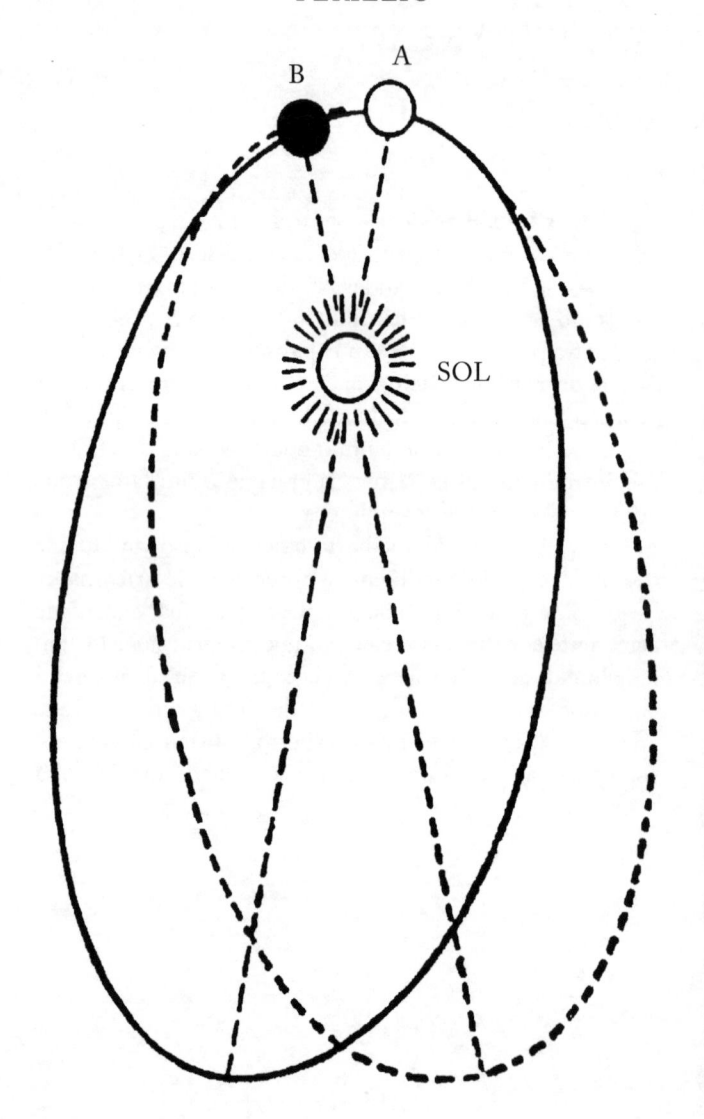

A RELATIVIDADE EM IMAGENS

Os desenhos e legendas deste capítulo foram elaborados antes da Segunda Guerra Mundial sob a orientação de Albert Einstein.

MERCÚRIO VIOLA UMA LEI CÓSMICA

Há cem anos os cientistas estavam intrigados pelo fato de que Mercúrio, ao atingir seu periélio (ponto da órbita em que se acha mais próximo do Sol) não passasse exatamente no mesmo ponto ao completar cada revolução.

O planeta parecia exceder a velocidade habitual dos corpos celestes ao realizar um trajeto suplementar (representado aqui pelo segmento A-B, na ilustração da página anterior) que em cem anos foi de 43 segundos de arco.

A explicação dada por Albert Einstein a esta "aberração" iria se constituir em um dos corolários de sua *Teoria da Relatividade Geral*.

RELATIVIDADE DA VELOCIDADE

A velocidade de um objeto é relativa, dependendo do observador, como demonstram os desenhos a seguir. Nos três casos, o submarino avança na sua velocidade máxima, mas a distância que percorre em uma hora varia devido ao movimento da água. Assim, enquanto a velocidade do submarino continua sendo a mesma em relação à água, não o é para um observador situado em terra, que, ignorando as marés, suporia que o motor do submarino funciona com velocidade moderada no primeiro caso, muito lentamente no segundo, e a grande velocidade no terceiro.

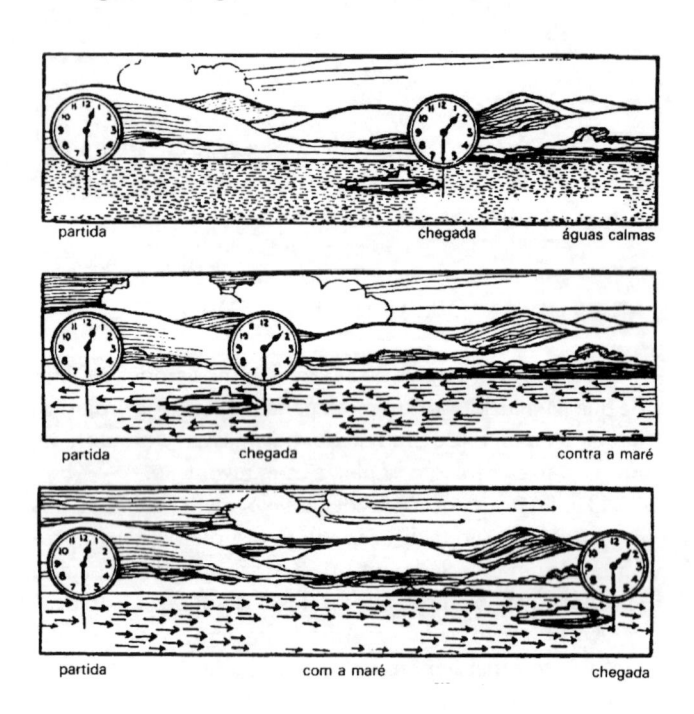

partida — chegada — águas calmas

partida — chegada — contra a maré

partida — com a maré — chegada

A VELOCIDADE DA LUZ É CONSTANTE

Dois canhões imaginários, fixados nos polos da Terra disparam simultaneamente um projétil à Lua. Pela diferença de velocidade entre os dois projéteis, devido ao movimento da Terra, estes chegam ao seu destino com alguns dias de intervalo. Mas os raios de luz emitidos pelos canhões chegam à Lua no mesmo instante, exatamente um segundo e um terço depois de realizados os disparos.

Nenhum movimento — produzido na fonte luminosa ou no meio atravessado pela luz — afeta sua velocidade, razão pela qual ela é um padrão de medida extremamente importante na *Teoria da Relatividade* (ver diagrama abaixo).

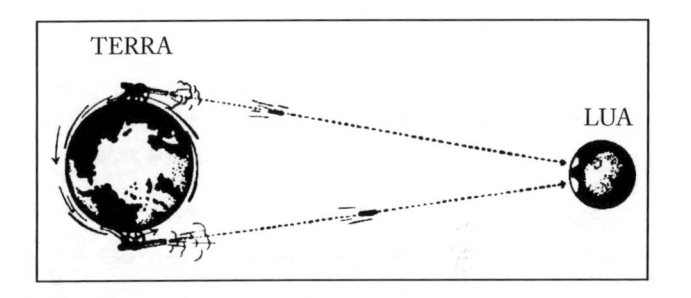

RELATIVIDADE DA DIREÇÃO

O que nos parece uma linha reta pode, na realidade, ser uma curva. Uma pessoa que deixa cair uma pedra do alto de uma torre, a vê descrever uma linha reta até o solo, mas esquece que a Terra se move. Devido a este movimento, um observador situado no espaço veria a pedra cair não em linha reta, mas seguindo a linha curva A-B (representada na ilustração a seguir).

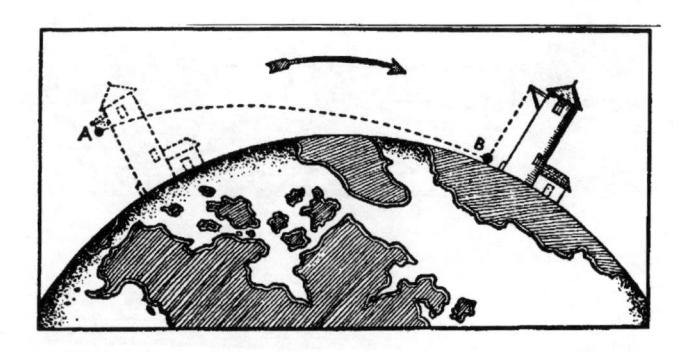

RELATIVIDADE DO TEMPO

Dois faróis muito afastados entre si emitem um sinal no mesmo instante. Um homem situado no solo, exatamente a meio caminho entre as duas torres, vê as duas luzes simultaneamente. Mas para um observador que se encontre no dirigível que avança na direção do farol da esquerda, as duas luzes não seriam simultâneas: a da torre mais próxima a ele apareceria uma fração de segundo antes que a outra, já que tem uma distância menor a percorrer (ver desenho abaixo).

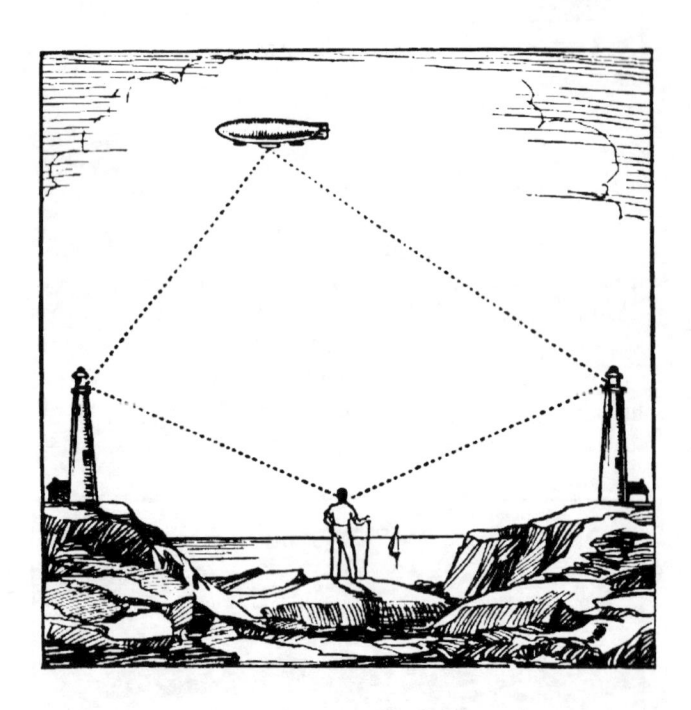

HUBERTO ROHDEN, O HOMEM QUE REVOLUCIONOU A ARTE DE PENSAR[1]

O ex-jesuíta e filósofo brasileiro Huberto Rohden, descendente de alemães, conviveu com Einstein na Universidade de Princeton, em 1945 e 1946, quando lá cumpria uma bolsa de estudos. Hoje, aos 85 anos, ele é o fundador da Filosofia Univérsica, inspirada parcialmente nas ideias de Einstein. E na sua tranquila casa no bairro do Sumaré, com a voz pausada e firme, ele diz:

— Albert Einstein apareceu no céu no século XX como cometa, e sua Teoria da Relatividade riscou o firmamento noturno como um meteoro, que explodiu sobre a terra.

Para Huberto Rohden, que se comovia diante da silenciosa, humana e às vezes patética figura de Einstein, quando caminhava com ele, a pé, pelos serenos bosques de Princeton, o cientista não era um homem como os outros. Por essa razão, nenhum ser humano convencional compreenderá integralmente sua personalidade ou sua obra, a não ser que compreenda também a diferença entre o ser "ego-pensante" e o "cosmo-pensado".

Einstein, segundo já se escreveu, aproximava-se muito dos antigos mágicos, alquimistas e taumaturgos, devido a seu pensamento intuitivo, e não meramente analítico, o que não significa, porém, que tenha tido algum poder sobrenatural. Ele acreditava que não há nenhum caminho lógico para o descobrimento das leis elementares; o único caminho

---

[1] (Entrevista concedida ao *O Estado de S. Paulo*, em 11/3/1979)

seria a intuição. Huberto Rohden chama a atenção para esse aspecto.

— É um erro supor que Einstein tenha descoberto a Teoria da Relatividade por meio de pacientes pesquisas e análises de largos anos. É certo que fez pesquisas, e muitas, mas estas análises por si só não podem ser consideradas como a *causa intrínseca* das suas descobertas; são apenas as *condições extrínsecas* das mesmas.

Einstein não era, então, um *ego-pensante*, mas um *cosmo--pensado*, explica Rohden. O homem ego-pensante é restrito ao seu minúsculo círculo dos sentimentos e da mente; não compreende, por exemplo, que a razão pode alargar esse círculo abrangendo muitos níveis de consciência. Raros seres atingiram a cosmo-consciência: entre eles estariam Moisés, Plotino — o iniciador do monismo, Amenhotep IV, Santo Agostinho, Buda, Jesus Cristo e Einstein.

A cosmo-consciência é chamada por Spinoza, filósofo querido por Einstein, de "alma do Universo". Para Cristo, acrescenta Rohden, a cosmo-consciência é o *Pai*; para alguns orientais é o *Tao*, a Realidade; para Einstein, esse poder seria a *Lei*.

Os seres cosmo-pensados não pensam apenas com o poder do seu ego-pessoal; seriam pensados pelo poder do cosmo, pela "alma do Universo". Talvez por isso Einstein tenha dito uma vez: "Eu penso 99 vezes e nada descubro; deixo de pensar — e eis que a verdade me é revelada". Ele sempre se impressionou profundamente com a filosofia de Schopenhauer, que atribuía mais realidade à consciência do que aos sentidos.

Huberto Rohden tentava conduzir seu pensamento trinta e três anos atrás, quando viu Einstein pela primeira vez. Parece-se um pouco com Einstein: era padre secular; foi jesuíta, e tudo isso abandonou para ser um livre-pensador, como Einstein foi. O cientista não acreditava em um Deus preocupado com os destinos de cada homem, mas em uma suprema consciência universal. Era irreverente, anarquista, pacifista, silencioso, e dócil. Um homem bom.

— O Einstein que eu conheci — lembra Rohden com os olhos brilhando de saudade — era uma síntese feliz entre talento analítico e gênio intuitivo.

A primeira vez que Huberto Rohden viu Einstein, em seu sobrado de Mercer Street 112, no *campus* de Princeton, ficou tão impressionado que não ousou sequer dirigir-lhe a palavra. E recorda, em seu livro *Einstein, o Enigma do Universo*, um dos 65 livros que escreveu:

— Cabeleira desgrenhada, barba por fazer, sapatos sem meias, todo envolto em um vasto manto cinzento, com olhar longínquo de esfinge em pleno deserto — lá estava este homem cujo corpo vivia na terra, mas cuja mente habitava nas mais remotas plagas do cosmo, ou no centro invisível dos átomos. Conversar com Einstein seria profanar a sua sagrada solidão.

Mais tarde, menos reverente, Rohden — que já era um homem maduro, nos seus 50 anos — acompanhava o velho cientista nas longas caminhadas matinais de sua casa até o Instituto de Estudos Avançados, onde às vezes se encontrava com Oppenheimer, Fermi, Bohr, von Braun, Meitner e outros cientistas.

Foi então que começou a nascer o que Rohden chama de Filosofia Univérsica, da qual se considera o criador. Einstein afirmava, já em Zurique quando ainda um jovem professor, que o princípio básico de toda a ciência superior era *a priori-dedutivo*, e não *a posteriori-indutivo*. Provocava escândalos.

Em nossa linguagem — diz Rohden — seria o último estágio do processo cognoscitivo: vai do Uno ao Verso, e não vice-versa. O homem deve focalizar a Causa (Uno) e daí partir para os efeitos (Verso).

Einstein negava a existência de um caminho capaz de conduzir dos efeitos para a causa ou, como afirmava, dos fatos para os valores.

Mas Einstein era, sobretudo, um homem bom. Ele não se irritava, não tinha vaidades, compreendia as fraquezas humanas e gostava de solidão. Era por natureza inimigo das dualidades: "Dois fenômenos ou dois conceitos que parecem opostos ou diversos me ofendem", escreveu certa vez. "Minha mente tem um objetivo supremo: suprimir as diferenças." Buscava a unidade em tudo, e dizia: "O amor tende a fazer de duas pessoas um único ser".

"Dada nossa ignorância quanto à maneira de o cérebro humano operar, é difícil conceber que alguém pretenda explicar a criatividade de um cientista como Einstein", observa Jeremy Berstein, um de seus biógrafos. E assim foi: as teorias de Einstein não foram a princípio compreendidas, e até hoje muitos não captam o sentido integral de suas ideias, pois Einstein não só mudou a concepção do mundo como instaurou uma nova maneira de pensar.

Einstein revelou, em resumo, que o espaço é curvo, que a menor distância entre dois pontos não é a linha reta, que o Universo não é infinito, mas ilimitado, que o tempo e o espaço absolutos não existem, que o tempo é relativo e não pode ser, portanto, medido exatamente do mesmo modo e por toda a parte, que as medidas de tamanho variam com a velocidade, que o Universo tem forma cilíndrica e não esférica, que um corpo em movimento diminui de volume, mas aumenta em massa, e que uma quarta dimensão, o tempo, é acrescentada às três dimensões conhecidas: comprimento, largura e espessura.

Foi a completa subversão dos conceitos até então admitidos pela Ciência e pelo que se convencionou chamar razão. O cientista George W. Gray escreveu que "uma vez que a Teoria da Relatividade é apresentada por seu autor em linguagem matemática e, a rigor, não pode ser apresentada em nenhuma outra, há certa presunção em qualquer tentativa de traduzi-la em vernáculo. Seria o mesmo que interpretar a Quinta Sinfonia de Beethoven em um saxofone".

Em 1916, Einstein divulgaria sua teoria geral da relatividade (a especial foi divulgada em 1905), corrigindo as ideias de Newton, ao prever um universo de quatro dimensões e sempre influenciado pela força da gravidade. Esse universo espaço-tempo é curvo ou arqueado pela gravidade, particularmente perto de corpos maciços, como as estrelas; assim sendo, a luz curva-se ao passar nas suas proximidades. Para Newton, o Universo era uma grande *máquina*. Para Einstein, o Universo era um grande *pensamento*.

Huberto Rohden cita Garbedian, ao denominar o universo de Newton como uma "monarquia solar", com seu trono em certo lugar sideral, um centro geométrico. Para Einstein, porém, a monarquia solar ou galática passa a ser uma cosmocracia universal, cujo monarca não reside em parte alguma, já que está em toda parte.

Assim, se para Newton o Cosmo era estático, rígido, definido e imutável, para Einstein o Universo é instável. Nada é fixo, tudo é móvel. Nada é absoluto, tudo é relativo.

O próprio Einstein gostava de fazer piadas com suas descobertas. Assim, ao discorrer uma vez sobre a curvatura do espaço, disse que se o homem tivesse uma visão extraordinária, que rompesse todas as limitações, ele olharia para a frente e veria a própria nuca.

As confusões sobre viagens no tempo teriam surgido, segundo um dos biógrafos de Einstein, com uma conferência de Hermann Minkowsky, ex-professor de Einstein, na 8ª Assembleia de Físicos e Cientistas Alemães, em 1908.

— As concepções de espaço e tempo que desejo apresentar-lhes — disse o cientista — brotaram do solo da Física experimental e nisso reside a força que têm. São radicais. Ora por diante, o espaço em si mesmo e o tempo em si mesmo estão condenados a desvanecer-se em sombras e somente a conjugação de um outro preservará uma realidade independente.

Alguns escritores de ficção científica entenderam mal essa frase e puseram-se a imaginar que, em razão do aspecto quadridimensional da relatividade, seria possível ir e voltar no tempo, em direção ao futuro e ao passado.

DADOS BIOGRÁFICOS
HUBERTO ROHDEN
VIDA E OBRA

Nasceu em Tubarão, Santa Catarina, Brasil. Fez estudos no Rio Grande do Sul. Formou-se em Ciências, Filosofia e Teologia em Universidades da Europa — Innsbruck (Áustria), Valkenburg (Holanda) e Nápoles (Itália).

De regresso ao Brasil, trabalhou como professor, conferencista e escritor. Publicou mais de 65 obras sobre ciência, filosofia e religião, entre as quais, várias traduzidas em outras línguas, inclusive o Esperanto; algumas existem em braille, para institutos de cegos.

Rohden não está filiado a nenhuma igreja, seita ou partido político. Fundou e dirigiu o movimento mundial Alvorada, com sede em São Paulo.

De 1945 a 1946, obteve uma bolsa de estudos para pesquisas científicas na Universidade de Princeton, New Jersey (Estados Unidos), onde conviveu com Albert Einstein e lançou os alicerces para o movimento de âmbito mundial da Filosofia Univérsica, tomando por base do pensamento e da vida humana a constituição do próprio Universo, evidenciando a afinidade entre Matemática, Metafísica e Mística.

Em 1946, Huberto Rohden foi convidado pela American University, de Washington, D.C., a reger as cátedras de Filosofia Universal e de Religiões Comparadas, cargo este que exerceu durante cinco anos.

Durante a Segunda Guerra Mundial, foi convidado pelo Bureau of Inter-American Affairs, de Washington, a fazer parte do corpo de tradutores das notícias de guerra, do inglês para o português. Ainda na American University, de Washington, fundou o Brazilian Center, centro cultural brasileiro, com o fim de manter intercâmbio cultural entre o Brasil e os Estados Unidos.

Na capital dos Estados Unidos, Rohden frequentou, durante três anos, o Golden Lotus Temple, onde foi iniciado em Kriya Yoga por Swami Premananda, diretor hindu desse *ashram*.

Ao fim de sua permanência nos Estados Unidos, Huberto Rohden foi convidado a fazer parte do corpo docente da nova International Christian University (ICU) de Metaka, Japão, a fim de reger as cátedras de Filosofia Universal e Religiões Comparadas; mas, em virtude da Guerra na Coreia, a universidade japonesa não foi inaugurada, e Rohden regressou ao Brasil. Em São Paulo foi nomeado professor de Filosofia na Universidade Presbiteriana Mackenzie, cargo do qual não tomou posse.

Em 1952, fundou em São Paulo a Instituição Cultural e Beneficente Alvorada, onde, além da capital paulista, mantinha cursos permanentes, além de na capital paulista, no Rio de Janeiro e em Goiânia, sobre Filosofia Univérsica e

Filosofia do Evangelho, e dirigia Casas de Retiro Espiritual (*ashrams*) em diversos estados do Brasil.

Em 1969, Huberto Rohden empreendeu viagens de estudo e experiência espiritual pela Palestina, pelo Egito, pela Índia e pelo Nepal, realizando diversas conferências com grupos de *yoguis* na Índia.

Em 1976, Rohden foi chamado a Portugal para fazer conferências sobre autoconhecimento e autorrealização. Em Lisboa fundou um setor do Centro de Autorrealização Alvorada.

Nos últimos anos, Rohden residia na cidade de São Paulo, onde permanecia alguns dias da semana escrevendo e reescrevendo seus livros, nos textos definitivos. Costumava passar três dias da semana no *ashram*, em contato com a natureza, plantando árvores, flores ou trabalhando no seu apiário modelo.

Quando estava na capital, Rohden frequentava periodicamente a editora responsável pela publicação de seus livros, dando-lhe orientação cultural e inspiração.

Fundamentalmente, toda a obra educacional e filosófica de Rohden divide-se em grandes segmentos: 1) a sede central da Instituição (Centro de Autorrealização), em São Paulo, que tem a finalidade de ministrar cursos e horas de meditação; 2) o *ashram*, situado a 70 quilômetros da capital, onde são oferecidos, periodicamente, os Retiros Espirituais, de 3 dias completos; 3) a Editora Martin Claret, de São Paulo, que difunde, por meio de livros, a Filosofia Univérsica; 4) um grupo de dedicados e fiéis amigos, alunos e discípulos, que trabalham na consolidação e na continuação da sua obra educacional.

À zero hora do dia 7 de outubro de 1981, após longa internação em uma clínica naturista de São Paulo, aos 87 anos, o professor Huberto Rohden partiu deste mundo e do convívio de seus amigos e discípulos. Suas últimas palavras em estado consciente foram: "Eu vim para servir a Humanidade".

Rohden deixa, para as gerações futuras, um legado cultural e um exemplo de fé e trabalho somente comparados aos dos grandes homens do nosso século.

Huberto Rohden é o principal editando da Editora Martin Claret.

RELAÇÃO DE OBRAS DO PROF. HUBERTO ROHDEN

COLEÇÃO FILOSOFIA UNIVERSAL:

O Pensamento Filosófico da Antiguidade
A Filosofia Contemporânea
O Espírito da Filosofia Oriental

COLEÇÃO FILOSOFIA DO EVANGELHO:

Filosofia Cósmica do Evangelho
O Sermão da Montanha
Assim Dizia o Mestre
O Triunfo da Vida sobre a Morte
O Nosso Mestre

COLEÇÃO FILOSOFIA DA VIDA:

De Alma para Alma
Ídolos ou Ideal?
Escalando o Himalaia
O Caminho da Felicidade
Deus
Em Espírito e Verdade
Em Comunhão com Deus
Cosmorama
Por Que Sofremos
Lúcifer e Lógos
A Grande Libertação
Bhagavad Gita (tradução)

Setas para o Infinito
Entre Dois Mundos
Minhas Vivências na Palestina, no Egito e na Índia
Filosofia da Arte
A Arte de Curar pelo Espírito (tradução)
Orientando para a autorrealização
Que vos Parece do Cristo?
Educação do Homem Integral
Dias de Grande Paz (tradução)
O Drama Milenar do Cristo e do Anticristo
Luzes e Sombras da Alvorada
Roteiro Cósmico
A Metafísica do Cristianismo
A Voz do Silêncio
Tao Te Ching de Lao-Tsé (tradução) — Ilustrado
Sabedoria das Parábolas
O 5º Evangelho Segundo Tomé (tradução)
A Nova Humanidade
A Mensagem Viva do Cristo (Os Quatro Evangelhos — tradução)
Rumo à Consciência Cósmica
O Homem
Estratégias de Lúcifer
O Homem e o Universo
Imperativos da Vida
Profanos e Iniciados
Novo Testamento
Lampejos Evangélicos
O Cristo Cósmico e os Essênios
A Experiência Cósmica

COLEÇÃO MISTÉRIOS DA NATUREZA:

Maravilhas do Universo
Alegorias
Ísis
Por Mundos Ignotos

COLEÇÃO BIOGRAFIAS:

Paulo de Tarso
Agostinho
Por um Ideal — 2 vols. Autobiografia
Mahatma Gandhi — Ilustrado
Jesus Nazareno — 2 vols.
Einstein — O Enigma da Matemática — Ilustrado
Pascal — Ilustrado
Myriam

COLEÇÃO OPÚSCULOS:

Saúde e Felicidade pela Cosmo-meditação
Catecismo da Filosofia
Assim Dizia Mahatma Gandhi (100 Pensamentos)
Aconteceu Entre 2000 e 3000
Ciência, Milagre e Oração São Compatíveis?
Centros de Autorrealização

Relação dos Volumes Publicados

1. Dom Casmurro
   Machado de Assis
2. O Príncipe
   Maquiavel
3. Mensagem
   Fernando Pessoa
4. O Lobo do Mar
   Jack London
5. A Arte da Prudência
   Baltasar Gracián
6. Iracema / Cinco Minutos
   José de Alencar
7. Inocência
   Visconde de Taunay
8. A Mulher de 30 Anos
   Honoré de Balzac
9. A Moreninha
   Joaquim Manuel de Macedo
10. A Escrava Isaura
    Bernardo Guimarães
11. As Viagens - "Il Milione"
    Marco Polo
12. O Retrato de Dorian Gray
    Oscar Wilde
13. A Volta ao Mundo em 80 Dias
    Júlio Verne
14. A Carne
    Júlio Ribeiro
15. Amor de Perdição
    Camilo Castelo Branco
16. Sonetos
    Luís de Camões
17. O Guarani
    José de Alencar
18. Memórias Póstumas de Brás Cubas
    Machado de Assis
19. Lira dos Vinte Anos
    Álvares de Azevedo
20. Apologia de Sócrates / Banquete
    Platão
21. A Metamorfose/Um Artista da Fome/Carta a Meu Pai
    Franz Kafka
22. Assim Falou Zaratustra
    Friedrich Nietzsche
23. Triste Fim de Policarpo Quaresma
    Lima Barreto
24. A Ilustre Casa de Ramires
    Eça de Queirós
25. Memórias de um Sargento de Milícias
    Manuel António de Almeida
26. Robinson Crusoé
    Daniel Defoe
27. Espumas Flutuantes
    Castro Alves
28. O Ateneu
    Raul Pompeia
29. O Noviço / O Juiz de Paz da Roça / Quem Casa Quer Casa
    Martins Pena
30. A Relíquia
    Eça de Queirós
31. O Jogador
    Dostoiévski
32. Histórias Extraordinárias
    Edgar Allan Poe
33. Os Lusíadas
    Luís de Camões
34. As Aventuras de Tom Sawyer
    Mark Twain
35. Bola de Sebo e Outros Contos
    Guy de Maupassant
36. A República
    Platão
37. Elogio da Loucura
    Erasmo de Rotterdam
38. Caninos Brancos
    Jack London
39. Hamlet
    William Shakespeare
40. A Utopia
    Thomas More
41. O Processo
    Franz Kafka
42. O Médico e o Monstro
    Robert Louis Stevenson
43. Ecce Homo
    Friedrich Nietzsche
44. O Manifesto do Partido Comunista
    Marx e Engels
45. Discurso do Método / Regras para a Direção do Espírito
    René Descartes
46. Do Contrato Social
    Jean-Jacques Rousseau
47. A Luta pelo Direito
    Rudolf von Ihering
48. Dos Delitos e das Penas
    Cesare Beccaria
49. A Ética Protestante e o Espírito do Capitalismo
    Max Weber
50. O Anticristo
    Friedrich Nietzsche
51. Os Sofrimentos do Jovem Werther
    Goethe
52. As Flores do Mal
    Charles Baudelaire
53. Ética a Nicômaco
    Aristóteles
54. A Arte da Guerra
    Sun Tzu
55. Imitação de Cristo
    Tomás de Kempis
56. Cândido ou O Otimismo
    Voltaire
57. Rei Lear
    William Shakespeare
58. Frankenstein
    Mary Shelley
59. Quincas Borba
    Machado de Assis
60. Fedro
    Platão
61. Política
    Aristóteles
62. A Viuvinha / Encarnação
    José de Alencar
63. As Regras do Método Sociológico
    Émile Durkheim
64. O Cão dos Baskervilles
    Sir Arthur Conan Doyle
65. Contos Escolhidos
    Machado de Assis
66. Da Morte / Metafísica do Amor / Do Sofrimento do Mundo
    Arthur Schopenhauer
67. As Minas do Rei Salomão
    Henry Rider Haggard
68. Manuscritos Econômico-Filosóficos
    Karl Marx
69. Um Estudo em Vermelho
    Sir Arthur Conan Doyle
70. Meditações
    Marco Aurélio
71. A Vida das Abelhas
    Maurice Materlinck
72. O Cortiço
    Aluísio Azevedo
73. Senhora
    José de Alencar
74. Brás, Bexiga e Barra Funda / Laranja da China
    António de Alcântara Machado
75. Eugênia Grandet
    Honoré de Balzac
76. Contos Gauchescos
    João Simões Lopes Neto
77. Esaú e Jacó
    Machado de Assis
78. O Desespero Humano
    Sören Kierkegaard
79. Dos Deveres
    Cícero
80. Ciência e Política
    Max Weber
81. Satíricon
    Petrônio
82. Eu e Outras Poesias
    Augusto dos Anjos
83. Farsa de Inês Pereira / Auto da Barca do Inferno / Auto da Alma
    Gil Vicente
84. A Desobediência Civil e Outros Escritos
    Henry David Toreau
85. Para Além do Bem e do Mal
    Friedrich Nietzsche
86. A Ilha do Tesouro
    R. Louis Stevenson
87. Marília de Dirceu
    Tomás A. Gonzaga
88. As Aventuras de Pinóquio
    Carlo Collodi
89. Segundo Tratado Sobre o Governo
    John Locke
90. Amor de Salvação
    Camilo Castelo Branco
91. Broquéis/Faróis/Últimos Sonetos
    Cruz e Souza
92. I-Juca-Pirama / Os Timbiras / Outros Poemas
    Gonçalves Dias
93. Romeu e Julieta
    William Shakespeare
94. A Capital Federal
    Arthur Azevedo
95. Diário de um Sedutor
    Sören Kierkegaard
96. Carta de Pero Vaz de Caminha a El-Rei Sobre o Achamento do Brasil
97. Casa de Pensão
    Aluísio Azevedo
98. Macbeth
    William Shakespeare

99. ÉDIPO REI/ANTÍGONA
Sófocles
100. LUCÍOLA
José de Alencar
101. AS AVENTURAS DE
SHERLOCK HOLMES
Sir Arthur Conan Doyle
102. BOM-CRIOULO
Adolfo Caminha
103. HELENA
Machado de Assis
104. POEMAS SATÍRICOS
Gregório de Matos
105. ESCRITOS POLÍTICOS /
A ARTE DA GUERRA
Maquiavel
106. UBIRAJARA
José de Alencar
107. DIVA
José de Alencar
108. EURICO, O PRESBÍTERO
Alexandre Herculano
109. OS MELHORES CONTOS
Lima Barreto
110. A LUNETA MÁGICA
Joaquim Manuel de Macedo
111. FUNDAMENTAÇÃO DA METAFÍSICA
DOS COSTUMES E OUTROS
ESCRITOS
Immanuel Kant
112. O PRÍNCIPE E O MENDIGO
Mark Twain
113. O DOMÍNIO DE SI MESMO PELA
AUTO-SUGESTÃO CONSCIENTE
Emile Coué
114. O MULATO
Aluísio Azevedo
115. SONETOS
Florbela Espanca
116. UMA ESTADIA NO INFERNO /
POEMAS / CARTA DO VIDENTE
Arthur Rimbaud
117. VÁRIAS HISTÓRIAS
Machado de Assis
118. FÉDON
Platão
119. POESIAS
Olavo Bilac
120. A CONDUTA PARA A VIDA
Ralph Waldo Emerson
121. O LIVRO VERMELHO
Mao Tsé-Tung
122. ORAÇÃO AOS MOÇOS
Rui Barbosa
123. OTELO, O MOURO DE VENEZA
William Shakespeare
124. ENSAIOS
Ralph Waldo Emerson
125. DE PROFUNDIS / BALADA
DO CÁRCERE DE READING
Oscar Wilde
126. CRÍTICA DA RAZÃO PRÁTICA
Immanuel Kant
127. A ARTE DE AMAR
Ovídio Naso
128. O TARTUFO OU O IMPOSTOR
Molière
129. METAMORFOSES
Ovídio Naso
130. A GAIA CIÊNCIA
Friedrich Nietzsche
131. O DOENTE IMAGINÁRIO
Molière
132. UMA LÁGRIMA DE MULHER
Aluísio Azevedo
133. O ÚLTIMO ADEUS DE
SHERLOCK HOLMES
Sir Arthur Conan Doyle
134. CANUDOS - DIÁRIO DE UMA
EXPEDIÇÃO
Euclides da Cunha
135. A DOUTRINA DE BUDA
Siddharta Gautama
136. TAO TE CHING
Lao-Tsé
137. DA MONARQUIA / VIDA NOVA
Dante Alighieri
138. A BRASILEIRA DE PRAZINS
Camilo Castelo Branco
139. O VELHO DA HORTA/QUEM TEM
FARELOS?/AUTO DA ÍNDIA
Gil Vicente
140. O SEMINARISTA
Bernardo Guimarães
141. O ALIENISTA / CASA VELHA
Machado de Assis
142. SONETOS
Manuel du Bocage
143. O MANDARIM
Eça de Queirós
144. NOITE NA TAVERNA / MACÁRIO
Álvares de Azevedo
145. VIAGENS NA MINHA TERRA
Almeida Garrett
146. SERMÕES ESCOLHIDOS
Padre Antonio Vieira
147. OS ESCRAVOS
Castro Alves
148. O DEMÔNIO FAMILIAR
José de Alencar
149. A MANDRÁGORA /
BELFAGOR, O ARQUIDIABO
Maquiavel
150. O HOMEM
Aluísio Azevedo
151. ARTE POÉTICA
Aristóteles
152. A MEGERA DOMADA
William Shakespeare
153. ALCESTE/ELECTRA/HIPÓLITO
Eurípedes
154. O SERMÃO DA MONTANHA
Huberto Rohden
155. O CABELEIRA
Franklin Távora
156. RUBÁIYÁT
Omar Khayyám
157. LUZIA-HOMEM
Domingos Olímpio
158. A CIDADE E AS SERRAS
Eça de Queirós
159. A RETIRADA DA LAGUNA
Visconde de Taunay
160. A VIAGEM AO CENTRO DA TERRA
Júlio Verne
161. CARAMURU
Frei Santa Rita Durão
162. CLARA DOS ANJOS
Lima Barreto
163. MEMORIAL DE AIRES
Machado de Assis
164. BHAGAVAD GITA
Krishna
165. O PROFETA
Khalil Gibran
166. AFORISMOS
Hipócrates
167. KAMA SUTRA
Vatsyayana
168. HISTÓRIAS DE MOWGLI
Rudyard Kipling
169. DE ALMA PARA ALMA
Huberto Rohden
170. ORAÇÕES
Cícero
171. SABEDORIA DAS PARÁBOLAS
Huberto Rohden
172. SALOMÉ
Oscar Wilde
173. DO CIDADÃO
Thomas Hobbes
174. PORQUE SOFREMOS
Huberto Rohden
175. EINSTEIN: O ENIGMA DO UNIVERSO
Huberto Rohden
176. A MENSAGEM VIVA DO CRISTO
Huberto Rohden
177. MAHATMA GANDHI
Huberto Rohden
178. A CIDADE DO SOL
Tommaso Campanella
179. SETAS PARA O INFINITO
Huberto Rohden
180. A VOZ DO SILÊNCIO
Helena Blavatsky
181. FREI LUÍS DE SOUSA
Almeida Garrett
182. FÁBULAS
Esopo
183. CÂNTICO DE NATAL/
OS CARRILHÕES
Charles Dickens
184. CONTOS
Eça de Queirós
185. O PAI GORIOT
Honoré de Balzac
186. NOITES BRANCAS
E OUTRAS HISTÓRIAS
Dostoiévski
187. MINHA FORMAÇÃO
Joaquim Nabuco
188. PRAGMATISMO
William James
189. DISCURSOS FORENSES
Enrico Ferri
190. MEDEIA
Eurípedes
191. DISCURSOS DE ACUSAÇÃO
Enrico Ferri
192. A IDEOLOGIA ALEMÃ
Marx & Engels
193. PROMETEU ACORRENTADO
Ésquilo
194. IAIÁ GARCIA
Machado de Assis
195. DISCURSOS NO INSTITUTO DOS
ADVOGADOS BRASILEIROS /
DISCURSO NO COLÉGIO
ANCHIETA
Rui Barbosa
196. ÉDIPO EM COLONO
Sófocles
197. A ARTE DE CURAR PELO ESPÍRITO
Joel S. Goldsmith
198. JESUS, O FILHO DO HOMEM
Khalil Gibran
199. DISCURSO SOBRE A ORIGEM E
OS FUNDAMENTOS DA DESIGUAL-
DADE ENTRE OS HOMENS
Jean-Jacques Rousseau
200. FÁBULAS
La Fontaine
201. O SONHO DE UMA NOITE
DE VERÃO
William Shakespeare

202. MAQUIAVEL, O PODER
    José Nivaldo Junior
203. RESSURREIÇÃO
    Machado de Assis
204. O CAMINHO DA FELICIDADE
    Huberto Rohden
205. A VELHICE DO PADRE ETERNO
    Guerra Junqueiro
206. O SERTANEJO
    José de Alencar
207. GITANJALI
    Rabindranath Tagore
208. SENSO COMUM
    Thomas Paine
209. CANAÃ
    Graça Aranha
210. O CAMINHO INFINITO
    Joel S. Goldsmith
211. PENSAMENTOS
    Epicuro
212. A LETRA ESCARLATE
    Nathaniel Hawthorne
213. AUTOBIOGRAFIA
    Benjamin Franklin
214. MEMÓRIAS DE
    SHERLOCK HOLMES
    Sir Arthur Conan Doyle
215. O DEVER DO ADVOGADO /
    POSSE DE DIREITOS PESSOAIS
    Rui Barbosa
216. O TRONCO DO IPÊ
    José de Alencar
217. O AMANTE DE LADY
    CHATTERLEY
    D. H. Lawrence
218. CONTOS AMAZÔNICOS
    Inglês de Souza
219. A TEMPESTADE
    William Shakespeare
220. ONDAS
    Euclides da Cunha
221. EDUCAÇÃO DO HOMEM
    INTEGRAL
    Huberto Rohden
222. NOVOS RUMOS PARA A
    EDUCAÇÃO
    Huberto Rohden
223. MULHERZINHAS
    Louise May Alcott
224. A MÃO E A LUVA
    Machado de Assis
225. A MORTE DE IVAN ILICHT /
    SENHORES E SERVOS
    Leon Tolstói
226. ÁLCOOIS E OUTROS POEMAS
    Apollinaire
227. PAIS E FILHOS
    Ivan Turguêniev
228. ALICE NO PAÍS DAS
    MARAVILHAS
    Lewis Carroll
229. À MARGEM DA HISTÓRIA
    Euclides da Cunha
230. VIAGEM AO BRASIL
    Hans Staden
231. O QUINTO EVANGELHO
    Tomé
232. LORDE JIM
    Joseph Conrad
233. CARTAS CHILENAS
    Tomás Antônio Gonzaga
234. ODES MODERNAS
    Anntero de Quental
235. DO CATIVEIRO BABILÔNICO
    DA IGREJA
    Martinho Lutero
236. O CORAÇÃO DAS TREVAS
    Joseph Conrad
237. THAIS
    Anatole France
238. ANDRÔMACA / FEDRA
    Racine
239. AS CATILINÁRIAS
    Cícero
240. RECORDAÇÕES DA CASA
    DOS MORTOS
    Dostoiévski
241. O MERCADOR DE VENEZA
    William Shakespeare
242. A FILHA DO CAPITÃO /
    A DAMA DE ESPADAS
    Aleksandr Púchkin
243. ORGULHO E PRECONCEITO
    Jane Austen
244. A VOLTA DO PARAFUSO
    Henry James
245. O GAÚCHO
    José de Alencar
246. TRISTÃO E ISOLDA
    Lenda Medieval Celta de Amor
247. POEMAS COMPLETOS DE
    ALBERTO CAEIRO
    Fernando Pessoa
248. MAIAKÓVSKI
    Vida e Poesia
249. SONETOS
    William Shakespeare
250. POESIA DE RICARDO REIS
    Fernando Pessoa
251. PAPÉIS AVULSOS
    Machado de Assis
252. CONTOS FLUMINENSES
    Machado de Assis
253. O BOBO
    Alexandre Herculano
254. A ORAÇÃO DA COROA
    Demóstenes
255. O CASTELO
    Franz Kafka
256. O TROVEJAR DO SILÊNCIO
    Joel S. Goldsmith
257. ALICE NA CASA DOS ESPELHOS
    Lewis Carrol
258. MISÉRIA DA FILOSOFIA
    Karl Marx
259. JÚLIO CÉSAR
    William Shakespeare
260. ANTÔNIO E CLEÓPATRA
    William Shakespeare
261. FILOSOFIA DA ARTE
    Huberto Rohden
262. A ALMA ENCANTADORA
    DAS RUAS
    João do Rio
263. A NORMALISTA
    Adolfo Caminha
264. POLLYANNA
    Eleanor H. Porter
265. AS PUPILAS DO SENHOR REITOR
    Júlio Diniz
266. AS PRIMAVERAS
    Casimiro de Abreu
267. FUNDAMENTOS DO DIREITO
    Léon Duguit
268. DISCURSOS DE METAFÍSICA
    G. W. Leibniz
269. SOCIOLOGIA E FILOSOFIA
    Emile Durkheim
270. CANCIONEIRO
    Fernando Pessoa
271. A DAMA DAS CAMÉLIAS
    Alexandre Dumas (filho)
272. O DIVÓRCIO /
    AS BASES DA FÉ /
    E OUTROS TEXTOS
    Rui Barbosa
273. POLLYANNA MOÇA
    Eleanor H. Porter
274. O 18 BRUMÁRIO DE
    LUÍS BONAPARTE
    Karl Marx
275. TEATRO DE MACHADO DE ASSIS
    Antologia
276. CARTAS PERSAS
    Montesquieu
277. EM COMUNHÃO COM DEUS
    Huberto Rohden
278. RAZÃO E SENSIBILIDADE
    Jane Austen
279. CRÔNICAS SELECIONADAS
    Machado de Assis
280. HISTÓRIAS DA MEIA-NOITE
    Machado de Assis
281. CYRANO DE BERGERAC
    Edmond Rostand
282. O MARAVILHOSO MÁGICO DE OZ
    L. Frank Baum
283. TROCANDO OLHARES
    Florbela Espanca
284. O PENSAMENTO FILOSÓFICO
    DA ANTIGUIDADE
    Huberto Rohden
285. FILOSOFIA CONTEMPORÂNEA
    Huberto Rohden
286. O ESPÍRITO DA FILOSOFIA
    ORIENTAL
    Huberto Rohden
287. A PELE DO LOBO /
    O BADEJO / O DOTE
    Artur Azevedo
288. OS BRUZUNDANGAS
    Lima Barreto
289. A PATA DA GAZELA
    José de Alencar
290. O VALE DO TERROR
    Sir Arthur Conan Doyle
291. O SIGNO DOS QUATRO
    Sir Arthur Conan Doyle
292. AS MÁSCARAS DO DESTINO
    Florbela Espanca
293. A CONFISSÃO DE LÚCIO
    Mário de Sá-Carneiro
294. FALENAS
    Machado de Assis
295. O URAGUAI /
    A DECLAMAÇÃO TRÁGICA
    Basílio da Gama
296. CRISÁLIDAS
    Machado de Assis
297. AMERICANAS
    Machado de Assis
298. A CARTEIRA DE MEU TIO
    Joaquim Manuel de Macedo
299. CATECISMO DA FILOSOFIA
    Huberto Rohden
300. APOLOGIA DE SÓCRATES
    Platão (Edição bilingue)
301. RUMO À CONSCIÊNCIA CÓSMICA
    Huberto Rohden
302. COSMOTERAPIA
    Huberto Rohden
303. BODAS DE SANGUE
    Federico García Lorca
304. DISCURSO DA SERVIDÃO
    VOLUNTÁRIA
    Étienne de La Boétie

305. CATEGORIAS
Aristóteles

306. MANON LESCAUT
Abade Prévost

307. TEOGONIA / TRABALHO E DIAS
Hesíodo

308. AS VÍTIMAS-ALGOZES
Joaquim Manuel de Macedo

309. PERSUASÃO
Jane Austen

310. AGOSTINHO - Huberto Rohden

311. ROTEIRO CÓSMICO
Huberto Rohden

312. A QUEDA DUM ANJO
Camilo Castelo Branco

313. O CRISTO CÓSMICO E OS ESSÊNIOS - Huberto Rohden

314. METAFÍSICA DO CRISTIANISMO
Huberto Rohden

315. REI ÉDIPO - Sófocles

316. LIVRO DOS PROVÉRBIOS
Salomão

317. HISTÓRIAS DE HORROR
Howard Phillips Lovecraft

318. O LADRÃO DE CASACA
Maurice Leblanc

319. TIL
José de Alencar

320. PEQUENAS TRAGÉDIAS
Alexandr Púchkin

321. DIÁRIO DO SUBSOLO
Fiódor Dostoiévski

322. ORIENTANDO PARA A AUTORREALIZAÇÃO
Huberto Rohden

323. DEUS
Huberto Rohden

324. O BANQUETE
Platão

325. ANTÍGONA
Sófocles

326. A ABADIA DE NORTHANGER
Jane Austen

327. DIÁLOGO DO AMOR
Plutarco

328. O GARIMPEIRO
Bernardo Guimarães

SÉRIE OURO
(Livros com mais de 400 p.)

1. LEVIATÃ
Thomas Hobbes

2. A CIDADE ANTIGA
Fustel de Coulanges

3. CRÍTICA DA RAZÃO PURA
Immanuel Kant

4. CONFISSÕES
Santo Agostinho

5. OS SERTÕES
Euclides da Cunha

6. DICIONÁRIO FILOSÓFICO
Voltaire

7. A DIVINA COMÉDIA
Dante Alighieri

8. ÉTICA DEMONSTRADA À MANEIRA DOS GEÔMETRAS
Baruch de Spinoza

9. DO ESPÍRITO DAS LEIS
Montesquieu

10. O PRIMO BASÍLIO
Eça de Queirós

11. O CRIME DO PADRE AMARO
Eça de Queirós

12. CRIME E CASTIGO
Dostoiévski

13. FAUSTO
Goethe

14. O SUICÍDIO
Émile Durkheim

15. ODISSEIA
Homero

16. PARAÍSO PERDIDO
John Milton

17. DRÁCULA
Bram Stoker

18. ILÍADA
Homero

19. AS AVENTURAS DE HUCKLEBERRY FINN
Mark Twain

20. PAULO – O 13º APÓSTOLO
Ernest Renan

21. ENEIDA
Virgílio

22. PENSAMENTOS
Blaise Pascal

23. A ORIGEM DAS ESPÉCIES
Charles Darwin

24. VIDA DE JESUS
Ernest Renan

25. MOBY DICK
Herman Melville

26. OS IRMÃOS KARAMAZOVI
Dostoiévski

27. O MORRO DOS VENTOS UIVANTES
Emily Brontë

28. VINTE MIL LÉGUAS SUBMARINAS
Júlio Verne

29. MADAME BOVARY
Gustave Flaubert

30. O VERMELHO E O NEGRO
Stendhal

31. OS TRABALHADORES DO MAR
Victor Hugo

32. A VIDA DOS DOZE CÉSARES
Suetônio

33. O MOÇO LOIRO
Joaquim Manuel de Macedo

34. O IDIOTA
Dostoiévski

35. PAULO DE TARSO
Huberto Rohden

36. O PEREGRINO
John Bunyan

37. AS PROFECIAS
Nostradamus

38. NOVO TESTAMENTO
Huberto Rohden

39. O CORCUNDA DE NOTRE DAME
Victor Hugo

40. ARTE DE FURTAR
Anônimo do século XVII

41. GERMINAL
Émile Zola

42. FOLHAS DE RELVA
Walt Whitman

43. BEN-HUR — UMA HISTÓRIA DOS TEMPOS DE CRISTO
Lew Wallace

44. OS MAIAS
Eça de Queirós

45. O LIVRO DA MITOLOGIA
Thomas Bulfinch

46. OS TRÊS MOSQUETEIROS
Alexandre Dumas

47. POESIA DE ÁLVARO DE CAMPOS
Fernando Pessoa

48. JESUS NAZARENO
Huberto Rohden

49. GRANDES ESPERANÇAS
Charles Dickens

50. A EDUCAÇÃO SENTIMENTAL
Gustave Flaubert

51. O CONDE DE MONTE CRISTO (VOLUME I)
Alexandre Dumas

52. O CONDE DE MONTE CRISTO (VOLUME II)
Alexandre Dumas

53. OS MISERÁVEIS (VOLUME I)
Victor Hugo

54. OS MISERÁVEIS (VOLUME II)
Victor Hugo

55. DOM QUIXOTE DE LA MANCHA (VOLUME I)
Miguel de Cervantes

56. DOM QUIXOTE DE LA MANCHA (VOLUME II)
Miguel de Cervantes

57. AS CONFISSÕES
Jean-Jacques Rousseau

58. CONTOS ESCOLHIDOS
Artur Azevedo

59. AS AVENTURAS DE ROBIN HOOD
Howard Pyle

60. MANSFIELD PARK
Jane Austen